P9-CRO-195

Delaf - Dubuc

Duel de belles

DUPUIS

Aide aux décors : Pascal Colpron

Dépôt légal : septembre 2009 — D.2009/0089/89
ISBN 978-2-8001-4412-2

Imprimé en Belgique.

www.dupuis.com

Cet album a été imprimé sur papier issu de forêts gérées de manière durable et équitable.
...comme ça, Mélanie est contente !

PAUVRE KARINE! LA VIE EST TROP INJUSTE AVEC TOI...

...DÉJÀ QUE TU ES MOCHE, MAINTENANT EN PLUS TU AS LES YEUX BOUFFIS!
SI T'ARRÊTES PAS DE PLEURER, ON NE POURRA PLUS ÊTRE VUES EN TA COMPAGNIE...

ARRÊTE DE T'EN FAIRE POUR DAN... JE SUIS SÛRE QU'IL EST TRÈS HEUREUX, EN AFRIQUE AVEC SA NOUVELLE COPINE.
DE TOUTE FAÇON, JE VOIS PAS CE QUE TU LUI TROUVAIS.
TAP TAP

MAIS JE L'AIMAIS...
AU LIEU DE TE PLAINDRE, TU DEVRAIS PLUTÔT ÊTRE LÀ POUR NOUS SOUTENIR. DEPUIS LE DÉPART DE JOHN JOHN, JENNY ET MOI VIVONS UNE GROSSE PERTE!
AH OUAIS... J'AVAIS OUBLIÉ QU'ON ÉTAIT TRISTES...

DÉSOLÉE, LES FILLES, JE PENSE QU'À MOI... COMMENT VOUS VOUS EN SORTEZ?
C'EST TRÈS DIFFICILE.
ON NE TROUVERA PEUT-ÊTRE PLUS JAMAIS UN GARÇON AVEC UNE AUSSI BELLE MOTO!

ALLONS... TOUS LES GARÇONS DE L'ÉCOLE N'ATTENDENT QUE VOUS...
ON SAIT!
ON NE SE LAISSE PAS ABATTRE POUR AUTANT!
JENNY! VICKY! ON VOUS AIME!

LA VIE NOUS ENVOIE DES ÉPREUVES, IL FAUT SAVOIR LES TRAVERSER!

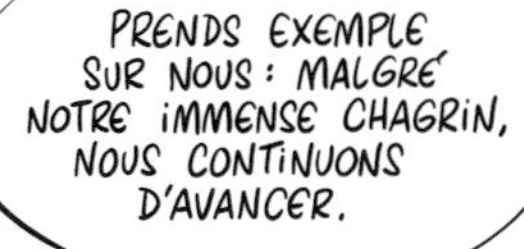
PRENDS EXEMPLE SUR NOUS: MALGRÉ NOTRE IMMENSE CHAGRIN, NOUS CONTINUONS D'AVANCER.

121

AU FOND, C'EST ABSURDE: C'EST NOUS QUI SOUFFRONS, ET C'EST TOI QU'IL FAUT RAMASSER À LA PETITE CUILLÈRE.
...
KARINE?

Delaf - Dubuc

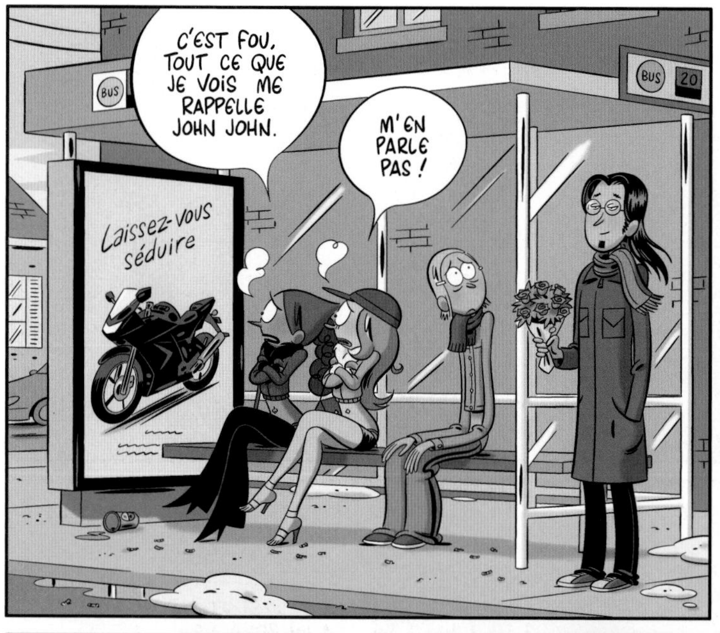
BUS
BUS 20
C'EST FOU, TOUT CE QUE JE VOIS ME RAPPELLE JOHN JOHN.
M'EN PARLE PAS !
Laissez-vous séduire

DEPUIS QUE JOHN JOHN EST PARTI, ON N'A PLUS LE CŒUR À L'ÉCOLE.
TU VEUX BIEN FAIRE NOTRE DEVOIR D'HISTOIRE ?
HISTOIRE
HISTOIRE
SNRFFF...
HISTOIRE

REGARDE, ON DIRAIT LE CASQUE DE JOHN JOHN...
OÙ ÇA ?
LÀ...
AH OUAIS...

ET SI ON NE RETROUVAIT PLUS JAMAIS L'AMOUR ?
J'Y PENSE TOUT LE TEMPS !

128

J'ESPÈRE QUE JOHN JOHN NE S'EST PAS FAIT UNE NOUVELLE COPINE...
T'INQUIÈTE ! DES FILLES COMME NOUS, ÇA NE S'OUBLIE PAS SI FACILEMENT !
Des jeunes au grand cœur

DES FOIS, JE PENSE À DAN ET JE ME DIS QUE...
AH NON ! TU VAS PAS ENCORE NOUS CASSER LES OREILLES AVEC TES HISTOIRES !
CHANGE DE DISQUE !
Des jeunes au grand cœur

Delaf - Dubuc

POUR MOI ?
YPU
YOU PAY US

UN COLIS D'AFRIQUE ! DAN NE M'A PAS OUBLIÉE !
CE SALAUD JOUE AVEC TES ÉMOTIONS. NE T'ABAISSE PAS À DÉBALLER CE TRUC ...

OH ! QUELLE MERVEILLE !
OUACH ! À TA PLACE, J'AURAIS PRÉFÉRÉ QU'IL M'OUBLIE !
REGARDEZ, IL Y A UNE LETTRE !

« Chère Karine, »
PEUH ! IL T'APPELLE MÊME PAS PAR UN PETIT NOM, ÇA COMMENCE MAL !

« J'ai trouvé cette statuette dans un petit marché près du désert et j'ai pensé à toi. »
C'EST VRAI QU'ELLE A UN PETIT AIR AHURI.

« Je me suis dit que ça te ferait plaisir de savoir qu'il y a une personne ici, en Afrique, qui pense à toi. »
WOOOU ! C'EST TROP MIGNON !
SMOUTCH !
TCHHHT !

QU'EST-CE QUE TU VEUX ? QU'ILS SE REMETTENT ENSEMBLE ? ET QUI VA PORTER TES SACS QUAND ON IRA FAIRE DU SHOPPING ?
SMOUTCH ! SMOUTCH !
AH, OUPS.

« Et bla bla bla, j'espère que tu aimeras et bla bla bla... »
ET C'EST SIGNÉ...

...
!

122

QUOI ? QUOI ? QUOI ?

TU AS VU L'AIR AHURI DE CELLE-LÀ ?
HA ! HA ! ELLE ME FAIT PENSER À QUELQU'UN... TIENS, JE VAIS LUI OFFRIR !

Delaf - Dubuc

MAINTENANT, TU DOIS PROMETTRE DE NE PLUS PLEURER. TU NOUS COÛTES UNE FORTUNE EN MASCARA !
ET VOOOILÀ !

MERCI, LES FILLES, JE... JE... SNRF...
NON, KARINE !
RETIENS-TOI !

BOOOU-HOOOU-HOOOU...
RAAAH ! T'AS ENCORE TOUT GÂCHÉ !
ON T'AIDE, ET VOILÀ COMMENT TU NOUS REMERCIES !

DÉSOLÉE, LES FILLES... SNRF... JE PEUX PAS M'EMPÊCHER DE...
... PENSER À DAN ! ON SAIT !

ÉCOUTE, KARINE, ON SOUFFRE INFINIMENT PLUS QUE TOI ET ON ARRIVE À SE RETENIR.
SI EN PLUS ON DOIT T'ENDURER, ON VA FINIR PAR CRAQUER !

EXCUSEZ-MOI... SNRF... J'AI COMPRIS, J'ARRÊTE DE VOUS EMBÊTER...
LÀ, TU AGIS COMME UNE AMIE !
? C'EST QUOI, ÇA ?

J'AI TROUVÉ CETTE ANNONCE HIER. C'EST LE NOUVEAU PSYCHOLOGUE DE L'ÉCOLE. JE VAIS APPELER POUR UN RENDEZ-VOUS.
!

ATTENDS... T'AS VU DE QUOI IL A L'AIR ?! TU VAS QUAND MÊME PAS CONFIER TES PROBLÈMES À CE TYPE ?!
POURQUOI PAS ?
Bi-Bi-Bi...
Besoin de parler ?
N'attends pas ! Local 340

BEN, PARCE QUE C'EST UN INCONNU, TIENS !
MAIS C'EST UN PSY, IL EST PAYÉ POUR ÇA...
OUI, MAIS NOUS ON EST TES AMIES. C'EST À NOUS QUE TU DOIS TE CONFIER.
ON TE FERA UN PRIX.

129

MAIS... OÙ VOUS ALLEZ ? VOUS VOULEZ QUE JE ME CONFIE À VOUS OU PAS ?
OUI-OUI, LANCE-TOI, ON REVIENT ...
ON CONNAÎT L'HISTOIRE, C'EST PAS GRAVE SI ON RATE LE DÉBUT !

MON MASCARA A ASSEZ COULÉ ?
C'EST PARFAIT. ET LE MIEN ?
SUIVANTES...
PSYCHOLOGUE

Delaf - Dubuc

PARFOIS, JE ME DEMANDE SI TU M'AIMES...
MAIS OUI, MAIS OUI. T'ES LA PLUS BELLE, CHOUPIGNOU.

TU POURRAIS ME LE MONTRER DE TEMPS EN TEMPS... M'ÉCRIRE DES POÈMES, M'OFFRIR DES CADEAUX...
POUR QUOI FAIRE ?

POUR ME FAIRE PLAISIR. TU SAIS, LES FILLES ADORENT CE GENRE D'ATTENTION.
TILT !

BIJOUTERIE

BIJOUTERIE
?

UNE PETITE ATTENTION POUR TÉMOIGNER MA PASSION, À TOI, LE CANON DES CANONS !

DÉSOLÉE, J'EN AI DÉJÀ UNE. ET JE NE PORTE JAMAIS DEUX BAGUES, ÇA FAIT VULGAIRE !

... EN PLUS, ELLE NE VA PAS DU TOUT AVEC MON STRING !
CLAC !

UNE PETITE ATTENTION, POUR TÉMOIGNER MA PASSION, À TOI, LA DEUXIÈME PLUS CANON.

124

VLAM

EUH...
COMMENT DIRE...
JE...
C'EST BON, ÇA VA ! LAISSE TOMBER !

UNE PETITE ATTENTION, POUR TÉMOIGNER MA PASSION, MÊME SI T'AS UN NEZ DE COCHON.
MURPHY ! TU SAIS PARLER AUX FEMMES !

Delaf - Dubuc

JE SUIS CONTENTE DE VOUS VOIR, LES FILLES. J'AVAIS PAS ENVIE DE PASSER LA SOIRÉE TOUTE SEULE.
TU POURRAS PAS DIRE QU'ON EST PAS LÀ POUR TOI !

CE SOIR, ON EST TES ESCLAVES. DIS-NOUS CE QUI TE FERAIT PLAISIR... N'IMPORTE QUOI !
BAH... RIEN DE BIEN COMPLIQUÉ. J'AI LOUÉ UN SUPER FILM...
QUOI ?! ME DIS PAS QUE LE DERNIER ORLANDO BLOOM EST DÉJÀ SORTI EN VIDÉO ?!

Печально девочку ?! MAIS C'EST QUOI CE TRUC ? « DANS LA SIBÉRIE PROFONDE, UNE JEUNE OUVRIÈRE PLEURE SON AMOUREUX DISPARU ». BEURK !!
ON PEUT COMPRENDRE QUE TU SOUFFRES, MAIS C'EST PAS UNE RAISON POUR TE VENGER SUR NOUS !
ÇA VA ÊTRE SYMPA, JE VAIS FAIRE DU POP-CORN, ON VA S'AMUSER.

J'AI UNE MEILLEURE IDÉE : HABILLE-TOI, ON T'EMMÈNE AU CINÉMA !
OUIIIIII ! ON RETOURNE VOIR LE ORLANDO BLOOM ! JE L'AI VU 17 FOIS, MAIS J'AI PAS ENCORE TOUT COMPRIS !

EUH... JE SAIS PAS, LES FILLES... J'AVAIS PLUTÔT ENVIE D'UNE PETITE SOIRÉE TRANQUILLE, VOUS COMPRENEZ ?

C'EST BON. METS-LE TON « SUPER FILM ».
ON EST LÀ POUR TOI, APRÈS TOUT.

O.K... ALLONS AU CINÉMA.
TU DIS PAS ÇA POUR NOUS FAIRE PLAISIR ?
MAIS NON...
BRAVO KARINE ! AU MOINS, QUAND TU AS DES IDÉES NULLES, TU LE RECONNAIS !

COOL ! QUI ON APPELLE EN PREMIER ?
LE GRAND BARAQUÉ DU COURS DE GYM ! C'EST QUOI SON NUMÉRO DÉJÀ ?
?

ON DEVRAIT COMMENCER PAR L'AUTRE, TU SAIS, CELUI QUI A UNE VOITURE ...
JE SAIS PAS... IL A UN GROS NEZ...
MAIS QU'EST-CE QUE VOUS FAITES ? JE CROYAIS QU'ON ALLAIT PASSER UNE SOIRÉE ENTRE FILLES !

MAIS... TU VEUX QUAND MÊME PAS QU'ON PAIE NOS TICKETS DE CINÉMA ?
UNE FILLE QUI PAYE SON PROPRE TICKET, LA HONTE ! AUTANT SE PROMENER AVEC UNE AFFICHE : JE SUIS MOCHE ET PERSONNE VEUT DE MOI !
123A

OOOH, PAUVRE KARINE : SANS DAN, IL Y A PERSONNE POUR PAYER POUR ELLE...
T'EN FAIS PAS, LES GARÇONS ONT TOUJOURS UN AMI MOCHE QUI TRAÎNE POUR SE CHARGER DES COPINES INSIGNIFIANTES.

BON... APPELEZ-LES, VOS GARÇONS.
ÇA VA, HEIN ? TU ES SÛRE ?
OUI-OUI.

DANS CE CAS, APPELONS RANDY !
...ET SON FRÈRE !
ET ÉTIENNE !
ET J.-F. !
ET LES JUMEAUX RODRIGUEZ !
ET LES TRIPLÉS BÉDARD ! ...
!

C'ÉTAIT VRAIMENT NÉCESSAIRE D'APPELER TOUS LES GARS DE L'ÉCOLE ?
TU VOIS L'HOMME IDÉAL DANS TOUTE CETTE FOULE, TOI ? EH BEN PAS MOI !
À DÉFAUT DE QUALITÉ, ON SE CONTENTE DE LA QUANTITÉ !
JENNY !
VICKY !
JE SUIS LÀ !
ET MOI ICI !
C'EST LE PLUS BEAU JOUR DE MA VIE !

TICKET, S.V.P.
JE PEUX M'ASSEOIR À CÔTÉ DE VOUS ?
SI T'AS LE TEMPS DE TE FAIRE REFAIRE LA GUEULE AVANT LE FILM, C'EST D'ACCORD !
VICKY, REGARDE... KARINE N'A PAS ENCORE DE TICKET.

AH OUAIS, ZUT...
Y A UN VOLONTAIRE POUR PAYER LE TICKET DE KARINE ?

TICKETS
...
A-HEM !
IL FAIT CHAUD POUR LA SAISON, NON ?

ÇA VA, JE VAIS PAYER MOI-MÊME.
OOOOOH... LA MÉGA HONTE ! JE PEUX PAS IMAGINER PIRE HUMILIATION !
TICKETS

TU ES SÛRE QUE ÇA VA ? IL FAUT NOUS LE DIRE SI ÇA TE DONNE DES IDÉES SUICIDAIRES...
ÇA VA.

UN TICKET, S.V.P.
AH, DÉSOLÉ, LA REPRÉSENTATION EST COMPLÈTE.

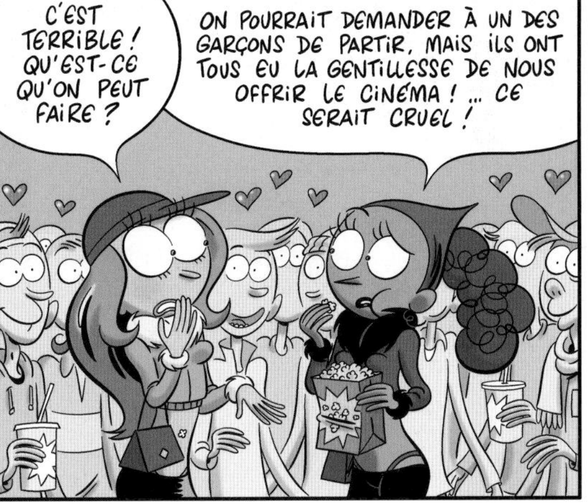
C'EST TERRIBLE ! QU'EST-CE QU'ON PEUT FAIRE ?
ON POURRAIT DEMANDER À UN DES GARÇONS DE PARTIR, MAIS ILS ONT TOUS EU LA GENTILLESSE DE NOUS OFFRIR LE CINÉMA ! ... CE SERAIT CRUEL !

C'EST BON, ALLEZ VOIR VOTRE FILM. JE VAIS RENTRER CHEZ MOI.
MAIS TU ÉTAIS SI CONTENTE DE PASSER UNE SOIRÉE ENTRE FILLES...
C'EST PAS GRAVE.

123B

PARCE QU'IL FAUT QUE TU LE DISES, HEIN, SI
ÇA VA JE VOUS DIS !
LAISSEZ-MOI, JE VEUX ÊTRE SEULE !

PEUH ! ELLE EST DURE À SUIVRE. ELLE ARRÊTE PAS DE CHANGER D'IDÉE !
DIRE QU'ON A SACRIFIÉ NOTRE VENDREDI SOIR POUR ELLE...

Delaf - Dubuc

IL VENAIT D'ÊTRE ÉLU PRÉSIDENT DU CONSEIL ÉTUDIANT PAR UNE MAJORITÉ ÉCRASANTE.
... ET JE PROMETS À TOUS LES ÉTUDIANTS QUE JE REPRÉSENTERAI LEURS INTÉRÊTS AU MIEUX DE MES CAPACITÉS !
I, WILL, I WILL !*
ÉLECTIONS ÉTUDIANTES
I, WILL,
I WILL !
* MOI, WILL, JE LE FERAI !

BIEN SÛR, TOUTES LES FILLES EN ÉTAIENT FOLLES !
JE PEUX ÊTRE TA SECRÉTAIRE, WILL ?
IL ME L'A DÉJÀ DEMANDÉ, DÉGAGE !
I, WILL,
Betty
Pour Présidente

GAGNER LE COEUR D'UN GARÇON AUSSI POPULAIRE NE FUT PAS DE LA TARTE. J'AVAIS DE LA COMPÉTITION !
JE TE PRÉVIENS, T'ES PAS SON GENRE. IL CRAQUE POUR LES ROUQUINES !
I, Wi

MAIS COMME J'ÉTAIS LA PLUS JOLIE, IL A FINI PAR ME PRENDRE AVEC LUI AU CONSEIL ÉTUDIANT.
LA PAUVRE ! 'PARAÎT QU'ELLE EST TOMBÉE DANS L'ESCALIER !

ET PUIS, RAPIDEMENT, J'AI ACCÉDÉ AU TITRE DE "FIRST LADY". J'ÉTAIS ADULÉE !
J'ADORE TA NOUVELLE COULEUR !
AH BON ? JE SAVAIS PAS QUE T'AIMAIS LES ROUQUINES !
PFF !
QU'EST-CE QU'IL LUI TROUVE ?
PÉTASSE !

APRÈS LES ÉTUDES, NOUS NOUS SOMMES MARIÉS. PUIS, DE PRÉSIDENT DU CONSEIL ÉTUDIANT, IL EST DEVENU PRÉSIDENT DE SOCIÉTÉ.
I, WILL, I WILL !
WILL ENTERPRISE

TU VOIS, SI AUJOURD'HUI TU AS LE CONFORT ET LA RICHESSE, C'EST PARCE QUE TA MÈRE A SU CHOISIR UN MEC GAGNANT.

PENSES-Y, LES DÉCISIONS QUE TU PRENDS AUJOURD'HUI AURONT UNE INCIDENCE SUR TON AVENIR.

ALLEZ, MONTE, JE VAIS TE FAIRE VISITER MON ATELIER D'ARTISTE !

132

G-Fin

VLAM !
TU FAIS LE BON CHOIX ! CROIS-MOI, EN AMOUR, JE NE ME SUIS JAMAIS PLANTÉE !

TU PARLES À TA FEMME SINON ON ARRÊTE TOUT.
I WILL, I WILL ...

Delaf - Dubuc

MUSIC
IL FAUDRAIT BIEN TROUVER QUELQU'UN POUR OCCUPER NOS SAMEDIS SOIR...
OUI, MAIS QUI ? AUCUN GARÇON N'ARRIVE À LA CHEVILLE DE JOHN JOHN !

! CHRIS DARYL ! MAIS BIEN SÛR ! POURQUOI ON N'Y A PAS PENSÉ AVANT ?
EXCELLENTE IDÉE ! T'AS QU'À DEMANDER SON NUMÉRO À L'ASSISTANCE ANNUAIRE !
Chris Daryl
COUNT ON ME
NOUVEL ALBUM

J'APPELLE TOUT DE SUITE !
IDIOTE ! CHRIS DARYL EST UNE VEDETTE INTERNATIONALE, IL EST PAS DANS L'ANNUAIRE !
BI-BI...

OH, TU M'ATTENDS, UNE SECONDE ? VOILÀ UNE PROIE QUI MÉRITE QUE J'UTILISE MES CHARMES...
BUS

FRED ? LE PRÉSIDENT DU CONSEIL ÉTUDIANT ?... TU LE TROUVES PAS UN PEU 8 SUR 10 ?
CONTINUE À RÊVER DE TON CHRIS DARYL SI TU VEUX, MOI, JE VAIS DEVENIR LA 'FIRST LADY' DE L'ÉCOLE !

SALUT, MON BEAU... ÇA TE DIRAIT D'ALLER TE BALADER AVEC LA PLUS JOLIE FILLE EN VILLE ?
?
?

ON SE CONNAÎT ?
COMME IL EST CHOU ! TROP GENTLEMAN POUR ADMETTRE QUE JE PEUPLE SES RÊVES LES PLUS SECRETS !

AH, MAIS BIEN SÛR ! TU ES NIKKY, LA COPINE DE JENNY !
VICKY ! ET C'EST JENNY QUI EST MA COPINE, PAS L'INVERSE.

ALORS, CETTE BALADE, C'EST OUI ?
ET COMMENT ! UNE BALADE AVEC LA PLUS JOLIE FILLE EN VILLE, ÇA SE REFUSE PAS !

133

?

T'ES QUI, TOI ?
JE SUIS HUGO, LE VICE-PRÉSIDENT.

T'EN FAIS PAS, NOUS, LES DEUXIÈMES, ON NOUS REMARQUE JAMAIS !

ALLÔ, ASSISTANCE ANNUAIRE ? ...
Chris Daryl
COUNT ON ME
NOUVEL ALBUM

Delaf - Dubuc

QU'EST-CE QUE VOUS FAITES ?
ON ÉCRIT NOTRE HISTOIRE AVEC JOHN JOHN !

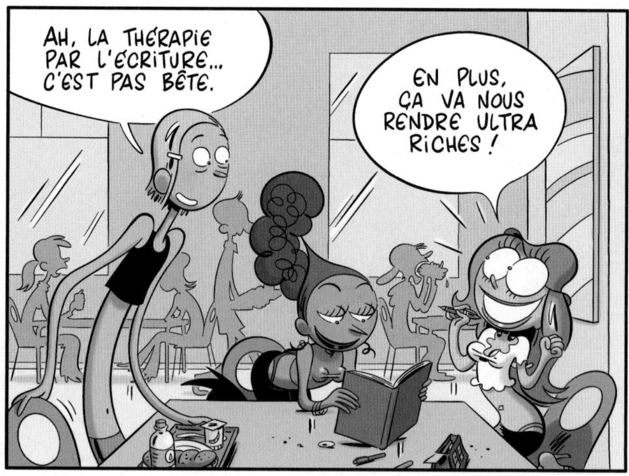

AH, LA THÉRAPIE PAR L'ÉCRITURE... C'EST PAS BÊTE.
EN PLUS, ÇA VA NOUS RENDRE ULTRA RICHES !

RICHES ?
OUI, ON VA PUBLIER NOTRE RÉCIT...
...ET EN VENDRE DES MILLIONS D'EXEMPLAIRES !

VOYONS, LES FILLES, PERSONNE VA ACHETER UN LIVRE SUR VOTRE HISTOIRE AVEC JOHN JOHN !
ROMÉO ET JULIETTE ONT FAIT FORTUNE AVEC LA LEUR. POURQUOI PAS NOUS ?

BEN... JE SAIS PAS... C'EST PAS UNE GRANDE HISTOIRE D'AMOUR.
PFF ! ÇA DONNE DEUX TROIS BISOUS À UNE ESPÈCE DE GITAN ET ÇA CROIT TOUT SAVOIR SUR L'AMOUR !
QUAND NOTRE LIVRE SERA FINI, TU FERAIS BIEN DE LE LIRE. ÇA VA T'AIDER À COMPRENDRE !

JE VEUX JUSTE DIRE QU'IL N'Y A PAS GRAND-CHOSE À RACONTER...
IL Y A PLEIN DE CHOSES À RACONTER !!

LA FOIS OÙ JOHN JOHN A CHANGÉ DE MOTO ...
LE JOUR OÙ IL EST PASSÉ ME PRENDRE POUR ALLER À L'ÉCOLE ...
LA FOIS OÙ IL M'A DIT QUE C'ÉTAIT MOI LA PLUS BELLE...
NON ! ÇA ON A DIT QU'ON LE METTAIT PAS.

COMME TU VOIS, C'EST PAS LES SUJETS QUI MANQUENT !
RIEN QU'AVEC ÇA, ON PEUT FACILEMENT FAIRE CENT PAGES !

130

JE SAIS PAS, LES FILLES... L'ÉCRITURE PEUT VOUS FAIRE DU BIEN, OUI. MAIS DE LÀ À COUPER DES ARBRES POUR PUBLIER ÇA...
AH, ZUT...
J'Y AVAIS PAS PENSÉ...
PAUVRES PETITS ARBRES QUI VONT MOURIR À CAUSE DE NOUS...

KARINE A RAISON, CE SERAIT BÊTE DE PUBLIER NOTRE HISTOIRE AVEC JOHN JOHN.

ALLÔ, MONSIEUR SPIELBERG ?

Delaf - Dubuc

TU DEVRAIS PAS T'ENGAGER DANS UNE RELATION. TU ES ENCORE JOLIE, PROFITES-EN !
MAIS J'ADORE L'IDÉE DE SORTIR AVEC LE PRÉSIDENT : ÇA ME VA BIEN D'ÊTRE LA 'FIRST LADY' DE L'ÉCOLE !

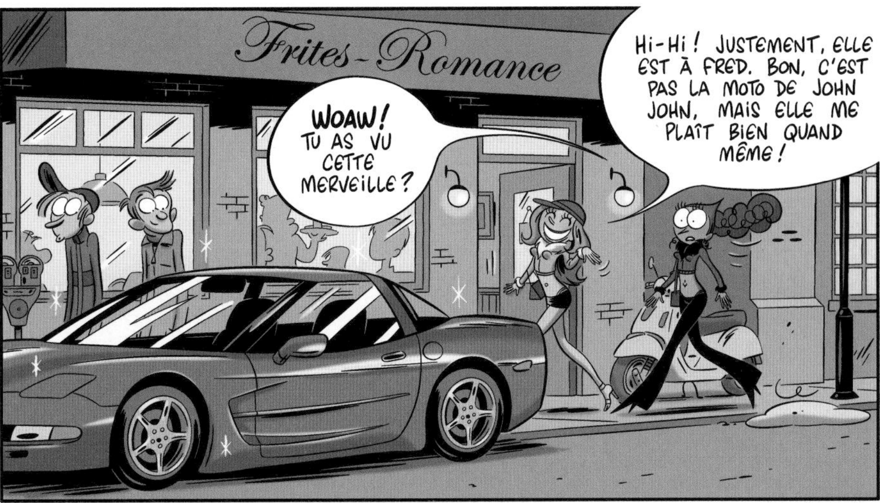
Frites-Romance
WOAW ! TU AS VU CETTE MERVEILLE ?
HI-HI ! JUSTEMENT, ELLE EST À FRED. BON, C'EST PAS LA MOTO DE JOHN JOHN, MAIS ELLE ME PLAÎT BIEN QUAND MÊME !

IL ME FAUT CE FRED !
AH, HUGO EST LÀ AUSSI ...
... QUEL HASAAAARD !

JE CROIS QUE HUGO T'AIME BIEN ! FRED M'A DIT QUE TU LUI AVAIS TAPÉ DANS L'OEIL !
HEIN ? QUOI ?

TU... HEU... TU VEUX T'ASSEOIR ?
TOI, SI TU M'ADRESSES À NOUVEAU LA PAROLE, JE TE RENDS TA SYMÉTRIE !
COUCOU NAMOUR
BIZ

QUANT À TOI, VIENS UN PEU PAR ICI...

134 A

QU'EST-CE QUI SE PASSE ? TU ES FÂCHÉE ?
MOI ? NOOOOOOOOON ! QU'EST-CE QUE TU T'IMAGINES ? ...

JE NAGE DANS LE BONHEUR : MA SUPER COPINE M'A ORGANISÉ UN BLIND DATE AVEC LE BEAU HUGO !

OUF ! TU ME RASSURES ! J'AVAIS PEUR QUE TU REMARQUES QU'IL EST SUPER MOCHE !

POURQUOI TU PERDS TON TEMPS AVEC FRED ? CHRIS DARYL TE TOMBERA PAS DANS LES BRAS SANS EFFORTS, TU SAIS !
BAH, J'AI ABANDONNÉ. J'AI LU DANS STARPOTINS QU'IL HABITAIT L.A. TU IMAGINES ?
JE SAIS MÊME PAS OÙ C'EST !

VOYONS, JENNY ! TU PEUX PAS RENONCER À TES RÊVES POUR SI PEU. SE RENDRE À L.A., C'EST PAS COMPLIQUÉ DU TOUT !
TU SAIS COMMENT Y ALLER ?!

MAIS OUI, C'EST SIMPLE, C'EST TOUT À L'OUEST. TU TE SOUVIENS OÙ EST L'OUEST ? RAPPELLE-TOI LES COURS DE GÉO...
LE NORD EST EN HAUT, ET L'OUEST EST... EUH... À GAUCHE ?

BRAVO ! T'AS QU'À MARCHER TOUJOURS DANS CETTE DIRECTION, TU ARRIVERAS DIRECTEMENT CHEZ CHRIS DARYL !
UNE CHANCE QU'IL HABITE PAS AU NORD, J'AURAIS DÛ Y ALLER EN FUSÉE !

CHRIS, J'ARRIVE !
JE L'ADORE !

OÙ ELLE VA, JENNY ?
ELLE T'A PLAQUÉ. MAIS T'EN FAIS PAS, JE SUIS SÛRE QUE TU TROUVERAS VITE UNE FILLE SUPERBE POUR TE CONSOLER.
134 B

OUBLIE JENNY. QUAND ELLE DÉCIDE QU'ELLE SE DÉBARRASSE D'UN GARÇON, ELLE FAIT PAS DANS LA DENTELLE !
OUPS !
ARGH !

C'EST FROID !
HI ! HI !
EN EFFET, ON PEUT VOIR ÇA !

AAAAAAH... ENFIN SEULS ! QUI C'EST QUI A UNE CHANCE DE COCU ?

CLING !

CET ENDROIT EST MAL FRÉQUENTÉ, ALLONS AILLEURS.
VA PAYER, JE T'ATTENDS PRÈS DE TON BOLIDE.
HIN HIN

OÙ TU VAS, MA JOLIE ?
OÙ Y A PAS TA GUEULE, VIEUX DÉBILE !

DRRRIIIIII

OUI ?
BONSOIR, MADAME. JE VOUDRAIS PARLER À CHRIS DARYL, S'IL VOUS PLAÎT.
??

C'EST LA DERNIÈRE MAISON DE LA RUE, ET ON M'A DIT QU'IL HABITAIT COMPLÈTEMENT À L'OUEST.
C'EST PAS ICI ?
AH, ÇA, POUR ÊTRE À L'OUEST, VOUS ÊTES COMPLÈTEMENT À L'OUEST, JEUNE FILLE !

IL DOIT AVOIR DÉMÉNAGÉ ET IL A OUBLIÉ D'AVERTIR STARPOTINS...
CLAC !

NIKKY ?
BEN... OÙ ELLE EST PASSÉE, CELLE-LÀ ?

FRED !
JENNY ?

JE CROYAIS QUE TU M'AVAIS PLAQUÉ !
PLAQUÉ ?... MAIS POURQUOI ? ...TU ES PRÉSIDENT, BEAU 8 SUR 10 ET EN PLUS, TON ADRESSE EST CONNUE !
ALLEZ, RAMÈNE-MOI CHEZ MOI !
134C

MAIS QU'EST-CE QU'IL FOUT ???

ALLEZ HOP ! EN ROUTE POUR HOUYAPATAGUEUL !
CLAC !

Delaf - Dubuc

J'AVAIS TROP HÂTE DE TE REVOIR...

... TU M'AS TELLEMENT MANQUÉ !

TU M'AS MANQUÉ AUSSI ! DOUZE HEURES SANS TOI, C'EST TROP DUR !
SMACK !

EXCUSEZ-MOI...
PARDON ...
DÉSOLÉE...

LES FILLES ! DAN EST REVENU, JE
JENNY ! VICKY !
ARGH ! ILS SONT ENCORE LÀ !
CROTTE !

TOUT CET AMOUR ME FICHE LA NAUSÉE ! ON N'A PAS CHOISI D'ÊTRE AUSSI CANON !
JE DONNERAIS UN MILLION JUSTE POUR ÊTRE 1% MOINS SUPÉRIEURE !

125 A

C'EST TERRIBLE, JE SAIS PAS QUOI FAIRE...
SORS ET DIS-LEUR QU'ON S'EST SAUVÉES PAR LA FENÊTRE !
BONNE IDÉE !

NON ! JE PARLE DE MON PROBLÈME À MOI !
TON PROBLÈME ?
QUEL PROBLÈME ?

EH, KARINE !

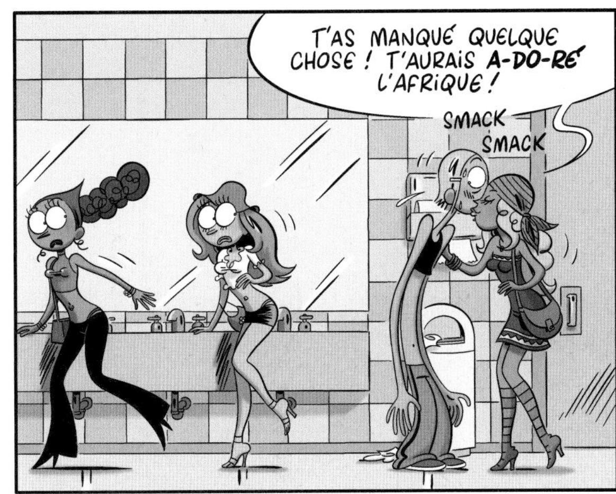
T'AS MANQUÉ QUELQUE CHOSE ! T'AURAIS A-DO-RÉ L'AFRIQUE !
SMACK
SMACK

ON A EU UN TEMPS SPLENDIDE, LE SOLEIL M'A FAIT UN BIEN FOU !
ET TU DEVRAIS VOIR DAN ! IL EST MIGNON À CROQUER AVEC SON PETIT TEINT BASANÉ...

ET TOI ? QU'EST-CE QUE TU AS FAIT DE BON PENDANT CES TROIS SEMAINES ?
HEU, JE... BEN...
OH, DÉSOLÉE, C'EST PASSIONNANT MAIS IL FAUT QUE JE FILE...

DAN M'ATTEND, LES JOURNALISTES SONT LÀ POUR LES PHOTOS.
CIAO !
CLAC

VOUS AVEZ VU ÇA ?! ELLE FAIT COMME SI DE RIEN N'ÉTAIT ! QUELLE GARCE !
KARINE ! SURVEILLE TON LANGAGE !
AU LIEU DE PARLER DANS SON DOS, TU DEVRAIS LA REMERCIER DE T'AVOIR DÉBARRASSÉE DE CE POUILLEUX INFIDÈLE.

BON, IL EST TEMPS DE TRAVERSER LE MUR DE PUCEAUX.
CETTE FOIS, C'EST MOI QUI PINCE ET TOI QUI MORDS.

POUSSEZ-VOUS, ON SORT...

TU AS RAISON, C'EST BIEN MÉLANIE !
ELLE EST DEVENUE CANON !
VOUS AVEZ VU COMMENT ELLE EST BRONZÉE ?

125 B

KARINE A RAISON...
... C'EST QU'UNE SALE GARCE !
Instant Bronzage

Delaf - Dubuc

TOUTE PETITE, ELLE VOLE "LE MARIAGE DE MISS PRINCESSE", LE DVD PRÉFÉRÉ DE SA MEILLEURE AMIE.

MON FILM ! IL ÉTAIT LÀ !!
C'EST PAS DE CHANCE !
SHREK
MONSTERS INC.

PRISE DE REGRETS, ELLE L'INVITE AU CINÉMA VOIR LA SUITE.

C'EST VRAIMENT GENTIL DE TA PART !
BAH ! T'AURAS QU'À M'INVITER CHEZ TOI QUAND TU T'ACHÈTERAS LE DVD...
Le 2e mariage de Miss Princesse

QUELQUES ANNÉES PLUS TARD, ELLE PASSE SA COLÈRE SUR BABETTE, LA VACHE DE SON GRAND-PÈRE.

MES DOC MARTENS ! PAUVRE IDIOTE !
MEUUUUUH !
SPLORTCH

POUR SOULAGER SA CONSCIENCE, ELLE LUTTE CONTRE LA VIOLENCE FAITE AUX ANIMAUX EN DEVENANT VÉGÉTARIENNE.

VÉGÉ CHEZ GÉGÉ
COOL, TES NOUVELLES BOTTES !
OUI ! 100 % BÉBÉ PHOQUE !

L'ANNÉE SUIVANTE, ELLE ACHÈTE DU CHOCOLAT DONT LE CACAO A ÉTÉ RÉCOLTÉ PAR DES ENFANTS AFRICAINS.

The Blackberries
M'EN FOUS, C'EST LE MEILLEUR !
CHOCOMAX

RONGÉE PAR LE REMORDS, ELLE S'ENGAGE DANS UN PROGRAMME COOPÉRATIF POUR APPORTER L'EAU POTABLE À DES VILLAGES EN AFRIQUE.

AFRICA
QUELLE CHANCE DE T'AVOIR DANS NOTRE GROUPE !
C'EST À SE DEMANDER OÙ TU PRENDS TOUTE TON ÉNERGIE !
MOI ? HA-HA !
GREEN PEACE
TAC TAC TAC

135

TOUT RÉCEMMENT, ELLE VOLE LE PETIT COPAIN D'UNE GENTILLE FILLE.

Vestiaire

EN GUISE DE PÉNITENCE, ELLE MET SUR PIED UNE NOUVELLE FONDATION.

LA CAUSE EST NOBLE, MAIS... QU'EST-CE QU'ELLES ONT DE SPÉCIAL, LES GUENONS DE BORNÉO ?
TU POSES TROP DE QUESTIONS ! EMBRASSE-MOI, PLUTÔT !
DONNEZ GÉNÉREUSEMENT !
LES GUENONS DE BORNÉO SONT EN DANGER !
C.A.I.

Delaf - Dubuc

ÉH, MÉL ! ON T'A ENTENDUE À LA RADIO... TU ÉTAIS GÉ-NIALE !
BAH, TU SAIS, L'AFRIQUE ME PASSIONNE TELLEMENT !

TES CHEVEUX ONT BLONDI, ÇA TE VA SUPER BIEN !
ET TA ROBE... TROP SEXY !
J'ADORE TA TRESSE AFRICAINE !
HI-HI ! C'EST GENTIL !

TOI ET DAN VOUS FAITES VRAIMENT UN SUPER COUPLE ! ON EST TROP JALOUSES !
OUAIS, NOUS AUSSI ! DAN A TROP DE CHANCE !

TOUT LE PERSONNEL ENSEIGNANT EST FIER DE VOUS, JEUNE FILLE !
MERCI, MADAME LA DIRECTRICE. MAIS VOUS SAVEZ, J'AI PAS DE MÉRITE, J'AIME CE QUE JE FAIS...

138

...CERTAINS S'AMUSENT AVEC DES JEUX VIDÉO, MOI, MON PLAISIR, C'EST DE RENDRE LE MONDE MEILLEUR...
AH, SI TOUS LES ÉTUDIANTS POUVAIENT ÊTRE COMME VOUS...
ALORS...
JE PRENDS LE 'R' DE MANIPULATRICE
ET LE 'P' DE HYPOCRITE
ET JE FAIS GROSSEPETASSE
MOUAIS...
PAS MAL.

Delaf - Dubuc

2.99
Pop Cola
Pilou Pilou
GAGNEZ UN VOYAGE POUR DEUX À L.A. EN COMPAGNIE DE CHRIS DARYL ET SES ABDOS!
ACNE MIRACL

GAGNEZ UN VOYAGE POUR DEUX À L.A. EN COMPAGNIE DE CHRIS DARYL ET SES ABDOS!

VIVEZ L'AVENTURE
MEXICO

?

146

CLAC!
PLOP!
FSSSSSSSSSSSSSS

HÉ HÉ!
¡¡¡¡¡¡¡¡¡

Delaf - Dubuc

AUTOUR DE TOI LE MONDE S'EFFONDRE, T.O.Q.P. À TE MORFONDRE...
NBA

TON EXISTENCE EST TOUTE POURRIE, DEPUIS QU'CETTE FILLE EST DANS TA VIE.

FAIS UN BREAK ! FAIS L'MÉNAGE ! DÉBARRASSE-TOI DE C'QUI T'ENRAGE !
POURQUOI PAS ?

CETTE CHIENNE T'EMPÊCHE DE BIEN DORMIR, T.O.Q.P. À LA MAUDIRE...
ALLEZ, UN PEU DE CRAN !

ELLE T'A VOLÉ TON AMOUREUX, TON AMOUR-PROPRE EST À MOINS DEUX.
ELLE VA LA RAVOIR, SA STUPIDE STATUETTE ! C'EST FINI DE SE MOQUER DE MOI EN M'OFFRANT DES CADEAUX DÉBILES !

FAIS UNE PAUSE ! PRENDS SUR TOI ! MONTRE-LUI TON PLUS LONG DOIGT !
OUVRE CETTE PORTE QU'ON EN FINISSE !
DZZZZZZZ

(refrain) T.O.Q.P. B.B. ! T.O.Q.P...
KARINE ? QU'EST-CE QUE TU FAIS LÀ ?

J'AI QUELQUE CHOSE POUR TOI JE VOULAIS TE...
ÇA ALORS ! C'EST DAN QUI T'A DIT QUE C'ÉTAIT MON ANNIVERSAIRE ?
JOYEUX ANNIVERSA

TU SAIS, IL FALLAIT PAS ! J'ESPÈRE QUE TU N'AS PAS FAIT DE FOLIE...
NON, JE...

OH MON DIEU ! NON, C'EST TROP !
!

136

MERCI ! EN PLUS, TU AS PENSÉ À L'ENVIRONNEMENT EN ÉVITANT DE L'EMBALLER ! TU ES VRAIMENT UNE FILLE BIEN !
WOW !
QU'EST-CE QUE C'EST ?
UN IPOD. C'EST POUR ÉCOUTER DE LA MUSIQUE.

MAIS C'EST TROP PETIT... Y A PAS LA PLACE POUR METTRE LES DISQUES !
REGARDE, DAN, CE QUE KARINE M'A OFFERT !
MADEMOISELLE, VOUS PRENDREZ BIEN UNE PART DE GÂTEAU ?
...?
MÉLANIE, ELLE EST PASSÉE OÙ, TON AMIE ?

C'EST TOI QUI AS PIQUÉ MON IPOD ?
TOC ! TOC ! TOC ! TOC ! TOC...
TU VOIS PAS QUE JE SUIS O.Q.P. ?

Delaf - Dubuc

ET VAS-Y QUE JE ME SORS LA POITRINE POUR ATTIRER L'ATTENTION !
PFF ! COMME SI C'ÉTAIT PAS ÉVIDENT QUE CE SONT DES FAUX !

JE LA DÉTESTE.
NOUILLES DU MONDE
MACHIAVEL

ET SI KARINE REPRENAIT DAN À MÉLANIE ?
QUOI ?

?

COMME ÇA, MÉLANIE AURA LE COEUR BRISÉ ET C'EST ELLE QUI AURA L'AIR D'UNE DÉTERRÉE !

GÉNIAL ! AVEC UNE GUEULE PAREILLE, PLUS PERSONNE NE SE RETOURNERA SUR SON PASSAGE !
AH OUAIS, MAIS NON, ZUT. COMMENT KARINE VA RÉUSSIR À REPRENDRE DAN SI ELLE A L'AIR DE ÇA ?

JE POURRAIS SIMPLEMENT LUI DIRE LA VÉRITÉ À PROPOS DE MÉLANIE...
TU CROIS QUE C'EST SUFFISANT ?
HMMM ...

DAN... JE PEUX TE PARLER ?
KARINE ?

IL FAUT QUE JE TE DISE LA VÉRITÉ...
C'EST AU SUJET DE MÉLANIE...
ELLE...
...ELLE EST PAS AUSSI PARFAITE QUE TU CROIS.

C'EST UNE DANGEREUSE MANIPULATRICE. ELLE A ÉCHAFAUDÉ UN PLAN POUR BRISER NOTRE AMOUR EN TE MONTANT CONTRE MOI.

140

ELLE ARRIVE À TROMPER TOUT LE MONDE AVEC SON PETIT AIR ANGÉLIQUE, MAIS JE T'ASSURE, TOUT EN ELLE N'EST QUE MENSONGE ET POUDRE AUX YEUX.
CONTRAIREMENT À TOI, JE PRÉSUME ?
DAN... TU SAIS BIEN QUE J'OSERAIS JAMAIS TE MENTIR !

DÉSOLÉ, MAIS J'AI DEUX BONNES GROSSES RAISONS D'EN DOUTER !

ALORS, IL A CRAQUÉ ?
NON.
CROTTE ! JE SAVAIS QU'IL FALLAIT EN METTRE PLUS !

Delaf - Dubuc

SALUT KARINE !
TIENS, DAN...
JE T'AVAIS PAS RECONNU SANS TA BLONDASSE DE MÉLANIE !

ALORS ? MA BARBICHETTE ET MES CHEVEUX LONGS T'ONT MANQUÉ ?
NON, PAS PLUS QUE TA CHEMISE RINGARDE.

TU M'EN VEUX PARCE QUE JE T'AI TROMPÉE AVEC MÉLANIE ?
J'AI PLEURÉ LES PREMIERS JOURS, MAIS C'ÉTAIT POUR CETTE PAUVRE FILLE QUI DEVRA SUPPORTER TON HALEINE DE CHEVAL.

ON PEUT QUAND MÊME RESTER AMIS ?
!...
BEN... OUI !

NON, IDIOTE ! JE SUIS DAN, JE PARLE À KARINE. DIS TON TEXTE !
AH ! EUH...
NON ! J'AI DÉJÀ DEUX AMIES SUPER SYMPAS, ÇA ME SUFFIT...

ET PUIS, JE ME SUIS FAIT UN NOUVEAU PETIT COPAIN ET IL EMBRASSE BEAUCOUP MIEUX QUE TOI, REGARDSLRPSLFLKSSBLFSS...
JE SUIS TROP JALOUX ! KARINE, REVIENS-MOI !

TU VOIS, C'EST SIMPLE, C'EST COMME DU THÉÂTRE. T'AS QU'À FAIRE PAREIL.
GLPS !

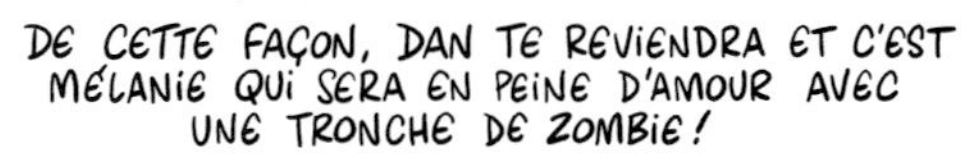

DE CETTE FAÇON, DAN TE REVIENDRA ET C'EST MÉLANIE QUI SERA EN PEINE D'AMOUR AVEC UNE TRONCHE DE ZOMBIE !

JE SUIS PAS SÛRE QUE JE POURRAI...
MAIS OUI !
SMPLKSFLKSS...

JENNY, LAISSE TA PLACE À KARINE, MAINTENANT.
QUOI ? PERSONNE M'AVAIT PRÉVENU QUE JE SERAIS FORCÉE D'EMBRASSER LA GRANDE PERCHE !

126

LE PAUVRE ! QUEL TRAUMATISME !
MERCI, LES FILLES, MAIS JE VAIS ME DÉBROUILLER. J'IMPROVISERAI, C'EST TOUT.
PAS QUESTION ! IL FAUT ABSOLUMENT TE FAIRE RÉPÉTER, SINON TU VAS BAFOUILLER ET TOUT FAIRE RATER !

BOUGE PAS, JE VAIS TE CHERCHER UN AUTRE VOLONTAIRE.
C'EST PAS LA PEINE, VICKY... AUCUN GARÇON N'ACCEPTERA.

IL A PAS L'AIR CONVAINCU... JE T'EN ROULE UNE AUTRE ?

Delaf - Dubuc

JENNY ! JE T'AVAIS DIT D'EMMENER FRED... PAS HUGO !
MAIS CE SONT LES DEUX MEILLEURS COPAINS ! ...
Galeries Golo

Blackberries
CE SERAIT TROP BIEN SI TU SORTAIS AVEC HUGO !
T'AS DU CACA DANS LES YEUX OU QUOI ? REGARDE-LE : LA DERNIÈRE PERSONNE QUE J'AI VUE AVEC UN GILET AUSSI NUL, C'EST MON ARRIÈRE-GRAND-PÈRE !
EZ GAMES

JUSTEMENT, PROFITE DE L'OCCASION, REFAIS-LUI SA GARDE-ROBE. APRÈS, IL SERA PRESQUE MIGNON !
C'EST ÇA ! ET SI TU TROUVES DU CHARISME EN SOLDE, DIS-LE-MOI, JE LUI EN PRENDS UNE CAISSE !

GÉNIAL ! J'ESSAIE DE TE TROUVER ÇA !
À PLUS, LES TOURTEREAUX !
MHV

ALORS... C'EST QUOI LE PLAN ?
DEVINE :
A) JE T'ENGUEULE POUR AVOIR OSÉ ME PARLER.
B) JE TE METS MON POING DANS LA GUEULE.
C) JE VOMIS PARCE QUE MON POING A TOUCHÉ TA GUEULE.
D) TOUTES CES RÉPONSES.

OUAH, TU ES MÉCHANTE !
OUAIS BEN TOI, T'ES MOCHE ! T'ES TELLEMENT MOCHE QUE MÊME SI T'ÉTAIS BEAU, TU SERAIS MOCHE PAREIL !

ÉH, BOUBOULE ! C'EST TON NOUVEAU MEC ? IL EST PLUTÔT MIGNON...
!
REBECCA ?!
SOLDE 20%
Solde jusqu'à 20% sur dessous sélectionnés

AH, EUH... OUAIS, TU TROUVES ? C'EST LE VICE-PRÉSIDENT DU CONSEIL ÉTUDIANT. IL ARRÊTE PAS DE ME TOURNER AUTOUR !
WOUAH ! JE SUIS ÉPATÉE : IL EST MÊME PLUS MIGNON QUE CELUI DE JENNY !
DU CHARISME ?
OLDE

C'EST CLAIR ! MAIS ELLE PRÉFÈRE SORTIR AVEC LE PRÉSIDENT MÊME S'IL A UNE SALE GUEULE.
HA ! HA ! ELLE EST NULLE !
TU L'AS DIT !

137

EH, CHÉRI !
RESTE PAS LÀ, VIENS QUE JE TE PRÉSENTE À MA SOEUR !

REBECCA : HUGO, HUGO : REBECCA.
ALORS ?
J'EN REVIENS PAS !
JE T'AVAIS DIT QU'ELLE ÉTAIT ASSEZ NULLE POUR ME CROIRE !
T'AS GAGNÉ ! C'EST MOI QUI PAYE !

TU ES SÉRIEUSE ?! TA SOEUR TROUVE HUGO PLUS MIGNON QUE FRED ??? ÇA M'EN BOUCHE UN COIN !
BAH, T'EN FAIS PAS, JE TE LE LAISSE. JE PRÉFÈRE SORTIR AVEC LE PRÉSIDENT MÊME S'IL A UNE SALE GUEULE...

Delaf - Dubuc

DIS, FRED... TU ME TROUVES INTELLIGENTE ?
?
EUH...

JE SAVAIS ! Y A QUE MA TRÈS GRANDE BEAUTÉ QUI T'INTÉRESSE. AU FOND, TU PENSES QUE JE SUIS CRUCHE !
MAIS NON, VOYONS ! TU ES TRÈS INTELLIGENTE !

JE SUIS SÛRE QUE T'ES MÊME PAS CAPABLE DE ME LE PROUVER !
TE PROUVER QUE TU ES INTELLIGENTE ? MAIS... COMMENT ?
JE SAIS PAS, POSE-MOI DES QUESTIONS.

BON... SI TU VEUX...
EUH...
DISONS... 20 DIVISÉ PAR 5 ?

REGARDE-MOI, J'AI L'AIR D'UN ORDINATEUR ?
SOIS GENTIL, POSE-MOI DES QUESTIONS AUXQUELLES UN HUMAIN PEUT RÉPONDRE !

O.K... PLUS FACILE : COMBIEN DE PATTES A UN CHIEN ?
HMMM... QUELLE RACE ? SOIS PRÉCIS.
N'IMPORTE QUELLE... UN FOX-TERRIER, DISONS.

HA ! HA ! JE TE VOIS VENIR ! TU ESSAIES DE M'EMBOBINER AVEC UNE RACE QUE JE CONNAIS PAS !
COQUIN !

PFF... J'AI PAS D'AUTRE IDÉE DE QUESTION...
DEMANDE-MOI, JE SAIS PAS... COMBIEN IL Y A DE JOURS DANS UNE ANNÉE ?
BON. COMBIEN IL Y A DE JOURS DANS UNE ANNÉE ?

MMH...
PAS ÉVIDENT...

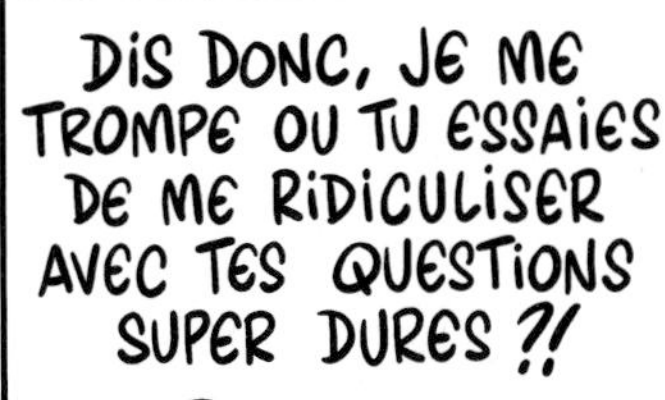
DIS DONC, JE ME TROMPE OU TU ESSAIES DE ME RIDICULISER AVEC TES QUESTIONS SUPER DURES ?!

DÉSOLÉ, MAIS JE JETTE L'ÉPONGE. TU AS RAISON, JE SUIS INCAPABLE DE PROUVER TON INTELLIGENCE.
AH-HA ! JE SAVAIS ! C'EST POUR CETTE RAISON QUE JE ME SUIS PROCURÉ...

...CECI !
BOUM

141

DE LA GLAISE ?
APPELLE ÇA COMME TU VEUX, MAIS JE TE DÉFIE DE TROUVER UNE FILLE AVEC AUTANT DE MATIÈRE GRISE QUE MOI !
TAP ! TAP !

C'EST ÇA, CHERCHE, T'EN TROUVERAS PAS !

TU AVAIS RAISON : IL ÉTAIT TEMPS QUE JE LUI PROUVE QUE JE NE SUIS PAS QU'UN BEAU CORPS. SUPER, TON TRUC DE LA GLAISE !
MAINTENANT, IL SAIT À QUEL CERVEAU IL A AFFAIRE !

Delaf - Dubuc

HÉ, LES FILLES ! J'ORGANISE UNE FÊTE VENDREDI, VOUS VENEZ ?
MON PAUVRE, TU AURAIS DÛ NOUS LE DEMANDER PLUS TÔT...

TU ES PRISE VENDREDI, TOI ?
NON, MAIS ON PEUT PAS LUI DIRE, ON AURAIT L'AIR DE DEUX LOSERS QUI N'ONT PAS DE VIE SOCIALE !
AH, OUAIS
COVERGUEULE
Gueurl mag

!
O.K., ON Y VA !
... MAIS TU DÉPLACES AU SAMEDI.

AH NON, SAMEDI C'EST PAS POSSIBLE. J'AI DÉJÀ DEMANDÉ À MÉLANIE ET ELLE PEUT PAS.

TU AS LE CHOIX : TU DÉPLACES AU SAMEDI SINON VOUS FEREZ VOTRE PETITE FÊTE ENTRE PUCEAUX !
Flip

HEU, MÉLANIE... VENDREDI, ÇA NE CONVIENT PAS À TOUT LE MONDE. TU ES LIBRE LE WEEK-END SUIVANT ?
ATTENDS, JE VÉRIFIE...

LÀ JE PRÉSIDE LE SÉMINAIRE SUR L'EAU POTABLE, ICI J'AI UNE RÉUNION POUR L'ORGANISATION DE L'EXPO AFRIQUE, FAUT PAS NON PLUS QUE J'OUBLIE QUE J'AI PROMIS DE TENIR LE STAND DE SAUVEGARDE DES BÉLUGAS...
AH, VOILÀ : JE SUIS LIBRE LE 12 DU MOIS PROCHAIN.

LE MOIS PROCHAIN ?

À QUOI ELLE JOUE ?
JE SAIS PAS MAIS EN TOUT CAS, PAS QUESTION QU'ON LA LAISSE GAGNER !

ENCORE CHANGER DE DATE ?
EN FAIT, C'EST JENNY ET VICKY... ELLES SONT PRISES TOUS LES SOIRS POUR LES DEUX PROCHAINS MOIS.
SAUVEZ LES BÉLUGAS
AH, JE VOIS... ATTENDS, JE VAIS T'EN TROUVER UNE DATE, MOI !

QUOI ?! POUR QUI ELLE SE PREND ?
ALLEZ, LES FILLES... FAITES UN EFFORT !
TSS ! ON T'A DONNÉ NOS DATES, VOIS ÇA AVEC ELLE !

139

ALORS, QUAND EST-CE QU'ON S'ÉCLATE AVEC LES PLUS BELLES FILLES DE L'ÉCOLE ?
OUBLIEZ ÇA ! JE SUIS RENDU À UNE DATE DANS SIX ANS !

QUELLE CONNE, CETTE MÉLANIE ! SI ELLE S'ÉTAIT PAS ACHARNÉE, ON SERAIT AU MILIEU D'UNE FÊTE GÉNIALE !
TU AS RAISON. SI ON ÉTAIT PAS SI OCCUPÉES, J'IRAIS LUI DIRE MA FAÇON DE PENSER !

Delaf - Dubuc

KARINE, ICI !
HOP!
!
TRIIIIIIIIIII

TU ES TROP GENTILLE AVEC L'ADVERSAIRE, KARINE. TU DOIS APPRENDRE À MONTRER LES DENTS ...
CLAP! CLAP!
BALLON!
POK!

COMMENCE PAR IMAGINER QUE LE BALLON, C'EST CE QUE TU AS DE PLUS PRÉCIEUX AU MONDE.
MOI, PAR EXEMPLE !
HA! HA!

JE T'AIME, KARINE !

MAINTENANT, DIS-TOI QUE TOUTES LES JOUEUSES SONT TES ENNEMIES !
ELLE A LA TROUILLE !
HÉ! HÉ!
AMÈNE-TOI !
TU FAIS PAS LE POIDS !
DAN EST À NOUS !

VAS-Y, P'TIT GARS, FONCE ! TU DOIS PROTÉGER LE BALLON !
WOUAH ! ELLES SONT CANON !

C'EST ÇA !...

PAF!
BRAVO ! ...

EXCELLENT!
POUF!

MAINTENANT, VAS-Y! SHOOTE...

CLAC!

TON COACH AU TÉLÉPHONE... IL DEMANDE SI TU PEUX LUI RAMENER LE BALLON...
GRRRRR...

Delaf - Dubuc

144

Delaf - Dubuc

OÙ TU VAS ?
J'AI ÉTÉ TROP GENTILLE AVEC MÉLANIE. JE VAIS RÉCUPÉRER LE iPOD QU'ELLE M'A VOLÉ.

OUUUUUH ! KARINE-LA-TERREUR ! TOUS AUX ABRIS !
HA ! HA ! ELLE EST À PISSER DE RIRE !

ALORS, TU T'AMUSES BIEN AVEC MON MEC ET MON iPOD ?
?

KARINE ? ... ÇA VA PAS ?
COMMENT ÇA TON iPOD ? TU LUI AS OFFERT POUR SON ANNIVERSAIRE. J'ÉTAIS LÀ.
JE LUI AI PAS OFFERT. ELLE ME L'A PRIS. C'EST UNE SALE HABITUDE QU'ELLE A...

RENDS-LE-MOI. TOUT DE SUITE.
KARINE, ÇA SE FAIT PAS ! C'EST UN CADEAU...
ÇA VA, DAN. JE VAIS LUI RENDRE.

VOILÀ, DÉSOLÉE. C'EST UN MALENTENDU, JE VOULAIS PAS MAL FAIRE.
C'EST ÇA ! ET JE SUPPOSE QUE TU VOULAIS PAS MAL FAIRE NON PLUS QUAND TU M'AS ENVOYÉ CETTE HORREUR ?!

ELLE TE PLAÎT PAS ? ...JE LA TROUVAIS RIGOLOTE...
ARRÊTE AVEC TES PETITS AIRS DE MISS PARFAITE ! JE SAIS QUE TU VOULAIS ME NARGUER !
KARINE, TU PÈTES UN CÂBLE, LÀ...

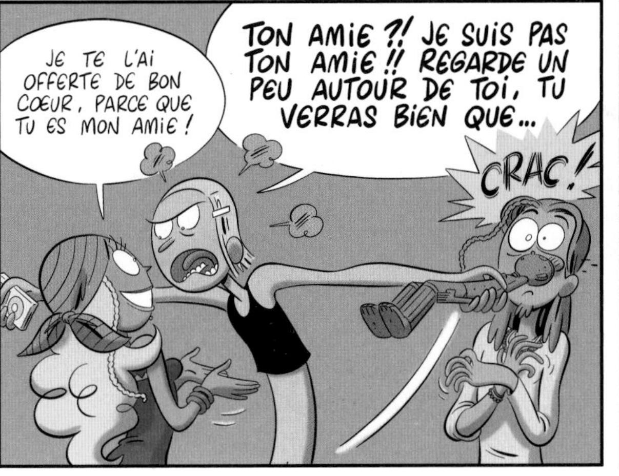

JE TE L'AI OFFERTE DE BON COEUR, PARCE QUE TU ES MON AMIE !
TON AMIE ?! JE SUIS PAS TON AMIE !! REGARDE UN PEU AUTOUR DE TOI, TU VERRAS BIEN QUE...
CRAC !

AAAAAAAAAAÏE !
OH ! PARDON, DAN ! JE VOULAIS PAS...

ATTENDS, J'AI UN MOUCHOIR... PENCHE TA TÊTE EN ARRIÈRE, JE...
ÇA VA, LAISSE-MOI !

OH, MON PAUVRE CHOU !... JE SUIS PRESQUE SÛRE QU'ELLE L'A PAS FAIT EXPRÈS !
AAAAÏE

BEN QUOI ? JE L'AI RÉCUPÉRÉ... VOUS ME FÉLICITEZ PAS ?

143

Delaf - Dubuc

PSHHHHH
ZUT!

CELLE-LÀ, JE LA SENS BIEN...
PSHHHHH
POP COLA
CROTTE!

ALLEZ, VISUALISATION POSITIVE : PILOU-PILOU !
TU AS RAISON : PILOU-PILOU !
PILOU-PILOU !
?
MAIS QU'EST-CE QUE VOUS AVEZ FUMÉ ?

ET PUIS C'EST QUOI, TOUTES CES BOUTEILLES ?
T'AS PAS VU L'ÉTIQUETTE ? : « DÉVISSEZ LA CAPSULE QUI FAIT ♫ PILOU-PILOU ♫ ET GAGNEZ UN VOYAGE POUR DEUX À L.A. EN COMPAGNIE DE CHRIS DARYL ET SES ABDOS ! »
PITIÉ, JÉSUS ...
Porn Star

AH, SUPER ! T'AS CLAQUÉ TOUT LE BUDGET ÉPICERIE EN POP-COLA !
GENRE MAINTENANT ON CRÈVE DE FAIM.
TSSS ! T'INQUIÈTE, J'AI PENSÉ À TOUT !
PSHHH...
ZUT.

ON N'A QU'À METTRE AU CONGÉLO ET HOP ! ON A DE LA BOUFFE POUR DES MOIS !
CROC !
CH'EST BON, T'EN VEUX ?
!
Porn Star

T'AS VRAIMENT LE Q.I. D'UNE CROTTE DE NEZ !
TU VEUX NOUS TUER LES DENTS ?! TON TRUC, LÀ, C'EST QUE DU SUCRE !
Porn Star

J'Y CROIS PAS ! C'EST MOI L'ENFANT ET C'EST MOI QUI DOIS PENSER À TOUT !
RRR... ZZZZ... TOUS DES CONNARDS...
RÔT

TIENS !
QU'EST-CE QUE TU VEUX QUE JE FASSE AVEC LA BAGUE DE MAMAN ?
TU VAS LA VENDRE ET RETOURNER NOUS ACHETER DE LA NOURRITURE MOINS DÉBILE !
Porn Star
145

JENNA A RAISON. C'EST VRAIMENT NUL DE MA PART D'AVOIR PENSÉ NOURRIR MA FAMILLE AVEC DES SUCETTES SUCRÉES...
Insta-Cash
RÔÔÔT

... SURTOUT QU'IL Y A LE MÊME CONCOURS SUR LES BOUTEILLES DE LIGHT !
4
520,80, S.V.P.
Delaf - Dubuc

Chansons personnalisées
C'EST UNE CHANSON COMPOSÉE POUR VOUS ET QUI PARLE DE VOUS. VOUS DONNEZ CE QUE VOUS VOULEZ.
♫ ZLING!

J'AI UN TALENT POUR CERNER LES GENS... EXPRIMER LEUR ESSENCE EN QUELQUES PHRASES.
C'EST INTRIGANT...
PFF! N'IMPORTE QUOI! EN FAIT, IL EST JUSTE TROP NUL POUR CHANTER DES CHANSONS CONNUES.
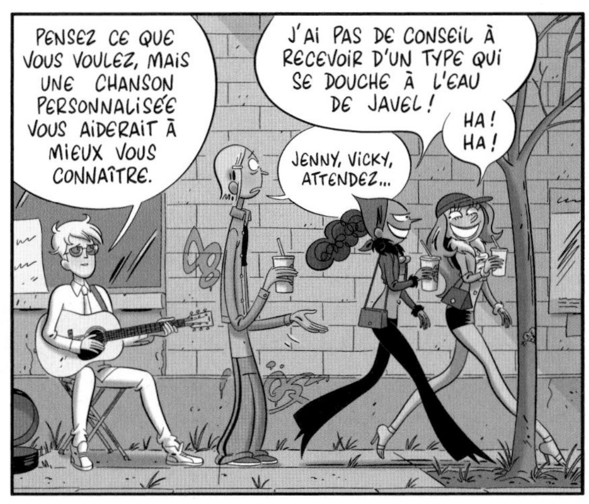
PENSEZ CE QUE VOUS VOULEZ, MAIS UNE CHANSON PERSONNALISÉE VOUS AIDERAIT À MIEUX VOUS CONNAÎTRE.
J'AI PAS DE CONSEIL À RECEVOIR D'UN TYPE QUI SE DOUCHE À L'EAU DE JAVEL!
HA! HA!
JENNY, VICKY, ATTENDEZ...

COMMENT TU T'APPELLES ?
KARINE.
♫ ZLING!

♫ À ses yeux bouffis on devine, que la tristesse dévore Karine ♪

♫ Pour protéger son cœur trop pur, ♪ elle doit modifier sa
BON, O.K., ON VEUT BIEN UNE CHANSON SUR NOUS.
MAIS C'EST BIEN POUR T'AIDER À TE REFAIRE UNE GARDE-ROBE!

ATTENDEZ, JE VEUX CONNAÎTRE LA SUITE, ÇA M'INTÉRESSE...
"JE", "ME", "MOI"! ÇA T'ARRIVE DE PENSER AUX AUTRES, UN PEU?
LAISSE, KARINE. SI TU TROUVAIS ÇA INTÉRESSANT, ALORS IMAGINE UNE CHANSON SUR NOUS!

ALLEZ, LANCE-TOI, BLANCHE-NEIGE. MAIS JE TE PRÉVIENS, SI NOTRE BEAUTÉ T'INSPIRE UN HIT, ON PREND 50% DES DROITS D'AUTEUR!
MMH...
♫ ZLING!

♫ Au sujet d'Jenny et Vicky, voilà qui m'vient une théorie :
♪ Aux autres elles mènent la vie dure, car leur cœur cache une blessure.

♪ Tout ce qu'elles cherchent c'est d'l'attention, mais pas toujours d'la bonne façon... ♪
150

♪ Et si les mecs pour elles luttent... c'est parce qu'elles s'habillent comme des
PÛÛÛÛT!

VOILÀ, VOUS DONNEZ CE QUE VOUS VOULEZ...

...ET ON DONNE CE QU'ON VEUT?
OUI. JE PRENDS TOUT SAUF LE LIQUIDE.
Delaf - Dubuc

POUR MÉLANIE ?! CETTE FILLE TE PIQUE TON COPAIN ET TOI, TU LUI FAIS DES CADEAUX ?
C'EST BON À SAVOIR, SI UN JOUR TU RESSORS AVEC UN MEC, JE SAURAI QUOI FAIRE !

C'EST SA FOUTUE STATUETTE. JE VAIS LUI RENDRE UNE FOIS POUR TOUTES.
AH.
C'ÉTAIT DÉJÀ NUL COMME CADEAU LA PREMIÈRE FOIS. LÀ, C'EST ENCORE PLUS NUL !

JE VAIS ALLER LA DÉPOSER DEVANT SON BUREAU AVEC UN PETIT MOT.
SI TU VEUX, JE T'AIDE À LE RÉDIGER... LE SUJET M'INSPIRE !
ET MOI, JE TE FAIS LES PETITS COEURS POUR DÉCORER !
FROT-FROT

« CHÈRE MÉLANIE, CRÈVE EN ENFER. SIGNÉ : KARINE. »
VOILÀ, C'EST COURT ET DIRECT AU BUT !
DÉSOLÉE, VICKY, MAIS ...
JUGE PAS TROP VITE ! FAUT VOIR CE QUE ÇA DONNE AVEC LES PETITS COEURS !
PAF
CLIC !

J'AI UNE AUTRE IDÉE : « CHÈRE MÉLANIE, FOURRE ÇA DANS TON GROS DERRIÈRE D'HIPPOPOTAME. »

« D'HIPPOPOTAME OBÈSE ! »
BONNE IDÉE !
MERCI, MAIS JE VAIS M'ARRANGER.

TSS ! ON TE DONNE PLEIN DE SUPER IDÉES ET ÇA, GRATUITEMENT, ET C'EST PAS ASSEZ BIEN POUR TOI ?
VAS-Y, ESSAIE DE TROUVER MIEUX !

« POUR MÉLANIE, DE KARINE. »
QUOI, C'EST TOUT ?! MAIS IL EXPLOSE LE RECORD DE LA NULLITÉ, TON MOT !
TANT QU'À FAIRE, POURQUOI T'AJOUTES PAS : « P.S. : VEUX-TU REDEVENIR MON AMIE ET ME RE-PIQUER MON MEC ? »

MON BUT EST DE GARDER LA TÊTE HAUTE, PAS D'ENVENIMER LA SITUATION. MÉLANIE EST INTELLIGENTE. ELLE VA COMPRENDRE LE MESSAGE.
INTELLIGENTE ?! ATTENDS, C'EST UNE BLONDE, COMMENT PEUX-TU AH OUAIS, D'ACCORD...

!

MON MOT !
CRAC

OUPS... DÉSOLÉ, LES FILLES !

147

OUF ! JE L'AI RETROUVÉ DEUX RUES PLUS LOIN...

BON, J'Y VAIS.
EN Y REPENSANT, TU AS TOUT À FAIT RAISON, KARINE...
... LE MESSAGE EST CLAIR, ELLE VA COMPRENDRE.
Pour Mélanie de Karine

Pour Mélanie de Karine

Delaf - Dubuc

TIENS, MÉLANIE, JE SAIS QUE TU CRAQUES POUR LE CHOCOLAT...
OH ! C'EST GENTIL !
ELLE ARRÊTE PAS DE S'EMPIFFRER ! PAS ÉTONNANT QU'ELLE SOIT SI GROSSE !

CETTE ÉCOLE EST TROP PETITE POUR ELLE ET NOUS... IL FAUT S'EN DÉBARRASSER.
ELLE DOIT BIEN AVOIR UN TALON D'ACHILLE !
POURQUOI ELLE AURAIT LE TALON DE QUELQU'UN D'AUTRE ?

TU VEUX DES ARACHIDES AU POIVRE CONCASSÉ, MÉL ?
AH, NON, MERCI ! JE SUIS ALLERGIQUE AUX ARACHIDES !
ARACHIX

LA DIRECTRICE VOULAIT SAVOIR POURQUOI JE PISSAIS LE SANG. IL A BIEN FALLU QUE JE LUI DISE QUE TU M'AVAIS FRAPPÉ.
QUOI ?!

MAIS C'EST QUAND JE LUI AI PARLÉ DU IPOD QUE TU AS VOLÉ À MÉLANIE QU'ELLE A LE PLUS RÉAGI.
MAIS...

RASSURE-TOI, MÉLANIE LUI A EXPLIQUÉ QUE TOUT ÇA N'ÉTAIT QU'UN ÉNORME MALENTENDU. SI TU N'AS PAS EU D'ENNUIS, C'EST GRÂCE À ELLE.
PARCE QUE TOI TU CROIS QUE JE SUIS DEVENUE UNE ESPÈCE DE FOLLE FURIEUSE, C'EST ÇA ?

J'AI PAS DIT ÇA.
MAIS J'AVOUE QUE JE NE TE RECONNAIS PLUS.

POURTANT, JE SUIS LA MÊME ! CELLE À QUI TU FAISAIS CONFIANCE IL N'Y A PAS SI LONGTEMPS. TOUT À COUP, TU ME CROIS CAPABLE DE FAIRE DU MAL EXPRÈS ?
JE SAIS PAS...

TES AMIES T'INFLUENCENT TELLEMENT...

MAIS TU TE RENDS COMPTE DE CE QUE TU DIS ?!
DU MÊME COUP, TU ME TRAITES DE FAIBLE ET TU DIABOLISES MES AMIES !

JE SAIS QUE TU NE LES PORTES PAS DANS TON CŒUR, MAIS JENNY ET VICKY NE SONT PAS AUSSI TORDUES QUE TU LE CROIS.
TU AS RAISON, EXCUSE-MOI. JE SUIS ALLÉ TROP LOIN.

148

UNE BOÎTE DE CES APPÉTISSANTS "CROQUANTS SURPRISE AUX ARACHIDES", S.V.P.

Delaf - Dubuc

DES CHOCOLATS POUR MOI ? VRAIMENT, LES FILLES, JE SUIS TOUCHÉE !... IL Y A DES ARACHIDES, DEDANS ?
PLEIN ! COMMENT T'AS SU ?!
Pour Mélanie de Karine

AH, DÉSOLÉE, JE SUIS ALLERGIQUE. MAIS JE VAIS LES LAISSER ICI, ÇA FERA CERTAINEMENT PLAISIR À QUELQU'UN.
O.K., BYE.
!
Pour Mélanie de Karine

IDIOTE ! T'AURAIS PAS PU TE LA FERMER ?!
MAIS ELLE SAVAIT DÉJÀ...
TAP !
AÏE !

SALUT, MON ANGE.
AH, DAN ! J'AI UN TRUC À TE MONTRER ...
Pour Mélanie de Karine

J'AI PAS BEAUCOUP DE TEMPS... JE VOULAIS JUSTE TE DIRE QUE JE VIENS DE PARLER À KARINE. ELLE EST TRÈS AFFECTÉE PAR CE QUI S'EST PASSÉ CES DERNIERS TEMPS.
AH.
J'AI ACCEPTÉ D'ALLER MANGER AVEC ELLE, JEUDI. ELLE DIT QU'ELLE A DES CHOSES À ME RACONTER. ÇA TE DÉRANGE PAS ?

ET C'EST COMME ÇA QU'ELLE A RÉUSSI À ME FAIRE PASSER POUR UNE MENTEUSE ET T'EMMENER EN AFRIQUE AVEC ELLE.
QUELLE SALOPE !!
ATTENDS QUE ÇA SE SACHE ! ELLE VA DÉGRINGOLER DE SON PIÉDESTAL !
BANG !

ÇA VA, MÉL ?... TU AS L'AIR PERTURBÉE.
AH... EUH... NON, JE... JE PENSAIS À UN TRUC STUPIDE.
QUOI ?

JE M'IMAGINAIS QUE PEUT-ÊTRE KARINE ESPÉRAIT SE DÉBARRASSER DE MOI POUR TE RECONQUÉRIR...
HA HA ! C'EST STUPIDE, JE SUIS PARANO !
TIC
Pour Mélanie de Karine

ENCORE TOUT À L'HEURE, ELLE EST VENUE M'OFFRIR DES CHOCOLATS POUR QU'ON SE RÉCONCILIE. C'EST CE QUE JE VOULAIS TE MONTRER...
DES CHOCOLATS ? FAIS GAFFE, QUAND MÊME...
Pour Mélanie de Karine

T'INQUIÈTE ! KARINE M'A ASSURÉ QU'ILS NE CONTENAIENT AUCUNE TRACE D'ARACHIDES. ET J'ARRÊTE PAS DE TE LE RÉPÉTER : KARINE EST UNE FILLE EN QUI ON PEUT AVOIR UNE CONFIANCE AVEUGLE !
CROUNCH !

OH-OH !
KRRH KRRH...
Pour Mélanie de Karine

149

KARINE...
TENTATIVE DE MEURTRE !
ALLERGIE
JALOUSIE !
ARACHIDES...
!
AMBU

C'EST DINGUE, ÇA ! ELLE A EU LA MÊME IDÉE QUE NOUS !
JE M'EN VEUX TELLEMENT ! SI J'AVAIS SU TENIR MA LANGUE, C'EST NOUS QUE CES BEAUX POLICIERS INTERROGERAIENT !
DIRECTRICE

Delaf - Dubuc

J'ai eu une vraie semaine de merde.
NBA

Sous l'oeil de deux policiers, j'ai dû signer une promesse à comparaître devant un juge et jurer de ne pas m'approcher à moins de 200 mètres de Mélanie.
MOI JE TROUVE QUE 200 MÈTRES C'EST PAS ENCORE ASSEZ !

Étant donné que la directrice m'a suspendue de l'école, mes parents m'ont ramenée à la maison. J'ai bien tenté de leur expliquer que je n'avais rien fait, mais on aurait dit que ça leur faisait perdre le sens de l'ouïe !
TAXAGE, COUPS ET BLESSURES, ET MAINTENANT TENTATIVE DE MEURTRE !
JE COMPRENDS PAS CE QUE TU AS À T'ACHARNER SUR CETTE PAUVRE FILLE...
BIEN FAIT POUR ELLE!
MEURTRIÈRE!

D'un autre côté, quand ils le veulent, ils entendent très très bien.
VIEUX CONS BOUCHÉS!
EST-CE QU'ELLE VIENT DE DIRE CE QUE JE VIENS D'ENTENDRE ?
KARINE, MONTE ICI TOUT DE SUITE !

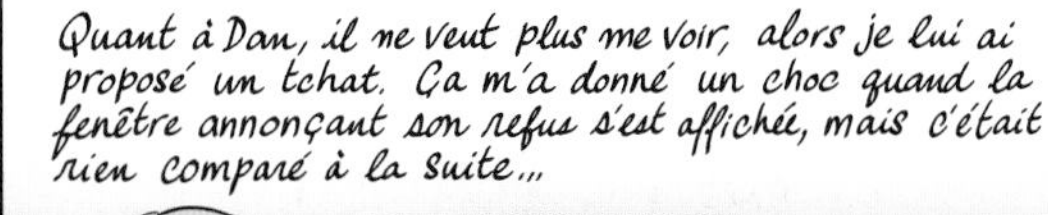

Quant à Dan, il ne veut plus me voir, alors je lui ai proposé un tchat. Ça m'a donné un choc quand la fenêtre annonçant son refus s'est affichée, mais c'était rien comparé à la suite...

Dan a retiré Karine de sa liste d'amis
Les amis de Dan ont fait pareil
Ainsi que les amis des amis des amis
Bref, votre vie sociale est foutue ! (Cliquez sur sos-suicide.com)

Ma vie est un désastre. Plus personne ne croit en moi. J'aurais toutes les raisons de craquer.

Mais non, je suis forte ! Je dois me concentrer sur les choses agréables. Comme...
MMM... COMME CE PETIT POT DE CERISES QUI M'ATTEND SUR LA DEUXIÈME TABLETTE DU FRIGO...

ÇA AVANCE, LA PARTIE ?
MÊLE-TOI DE TES OIGNONS !

PFF...
CE QUI M'ÉTONNE LE PLUS DE MOI-MÊME, C'EST QUE TOUS CES ÉVÉNEMENTS NE M'AFFECTENT PAS PLUS QUE ÇA.

J'AI PAS ENVIE DE CRIER, NI DE PLEURER...

MES PARENTS ME PRENNENT POUR UNE FOLLE FURIEUSE ALORS QUE JE GÈRE TOUT AVEC CALME ET SAGESSE.

T'AS BOUFFÉ TOUTE LA CONFITURE AUX CERISES ! ESPÈCE DE CONNARD, JE VAIS T'ÉCLATER TA GUEULE !!!

Delaf - Dubuc

QU'EST-CE QUI SE PASSE ?
C'EST FRED. IL M'A QUITTÉE! BOUHOUHOU-HOUHOU...

IL DIT QUE JE SUIS TROP BRILLANTE POUR LUI, QU'AVEC MOI, IL A L'IMPRESSION D'ÊTRE CONSTAMMENT RABAISSÉ.
HA! HA! EUH... PAUVRE TOI !

JE LUI AI RÉPONDU QUE ÇA NE ME DÉRANGEAIT PAS DE SORTIR AVEC UN IDIOT, QUE TOUT CE QUI M'IMPORTE, C'EST L'APPARENCE, MAIS ÇA N'A PAS SUFFI POUR LE FAIRE CHANGER D'AVIS !
JE VAIS ALLER LUI DIRE DEUX MOTS, MOI ! PERSONNE FERA SOUFFRIR MA MEILLEURE COPINE SANS SUBIR MA COLÈRE !

ALORS COMME ÇA, TU ES CÉLIBATAIRE ?

EH OUI ! JE SAIS QUE JENNY EST TON AMIE, MAIS ELLE EST VRAIMENT TROP CRUCHE !
T'INQUIÈTE, JE SUIS AU COURANT. ELLE NE TE MÉRITAIT PAS.

ELLE CROIT QUE LA GLAISE C'EST DE LA MATIÈRE GRISE ET ELLE ME FORCE À TRAÎNER SES 10 KILOS D'INTELLIGENCE PARTOUT OÙ ON VA... J'EN PEUX PLUS !

C'EST IDIOT, JE SORTAIS AVEC ELLE JUSTE PARCE QU'ELLE EST LA PLUS JOLIE FILLE DE L'ÉCOLE.
TU SAIS, LA DEUXIÈME PLUS JOLIE TE DIRAIT PAS NON... EN PLUS, ELLE TRANSPORTE SON INTELLIGENCE ELLE-MÊME !

JE T'AVOUE QUE J'Y SONGE DEPUIS UN PETIT MOMENT... TU CROIS QUE CE SERAIT POSSIBLE ENTRE NOUS ?
MAIS BIEN SÛR !

J'AI LE COEUR QUI S'EMBALLE TOUT À COUP !
Y A DE QUOI !

PRTTT !
RESPECT !

MA SOEUR EST À L'UNIVERSITÉ, JUSTE À CÔTÉ... SI ON COURT, J'AURAI LE TEMPS DE TE PRÉSENTER !
ME PRÉSENTER ?

152

MAIS POURQUOI TU...
!

BANG

HOULÀ ! TU L'AS PAS RATÉ !
PFF ! J'EN AI PAS ENCORE FINI AVEC LUI ! JE LUI LAISSE JUSTE LE TEMPS DE REDEVENIR PRÉSENTABLE...
BOBO...

Delaf - Dubuc

TIENS, SALUT KARINE!
?
Courses à faire

AH... EUH, SALUT... TU TE SOUVIENS DE MON NOM?
J'AI PAS OUBLIÉ CELUI DE JENNY ET VICKY NON PLUS... ÇA M'A COÛTÉ LES RECETTES DE LA JOURNÉE EN BLANCHISSEUR...
FLOP!
Cantaloup 3,99/ch WOW!

JE SUIS DÉSOLÉE POUR ELLES, VRAIMENT... ELLES NE SONT PAS TOUJOURS FACILES À VIVRE.
BAH, JE LE MÉRITAIS UN PEU... MA CHANSON N'ÉTAIT PAS TRÈS GENTILLE.

J'AURAIS DÛ USER DE FLATTERIE. LES GENS AVEC UN GROS EGO AIMENT QUAND ON LEUR FAIT CROIRE QU'ILS SONT SUPÉRIEURS. LEUR TÊTE GONFLE COMME UNE MONTGOLFIÈRE ET ILS DEVIENNENT ALORS FACILES À DIRIGER.
MERCI DU TUYAU, JE TÂCHERAI DE M'EN SOUVENIR!

TIENS, VENDREDI ON DONNE UN CONCERT. VIENS SI ÇA TE DIT.
"ALBIN ET LES ALBINOS?"
OUI. LES ALBINOS CE SONT LES MUSICIENS. MOI C'EST ALBIN.

MERCI, MAIS JE POURRAI PAS. JE SUIS PUNIE.
PUNIE? TOI? QU'EST-CE QUE TU AS BIEN PU FAIRE? ÉCRASER UNE FLEUR? HA! HA!

TENTATIVE DE MEURTRE.
AH.

MAIS C'EST UN COUP MONTÉ, J'Y SUIS POUR RIEN!
EN FAIT, C'EST TOI LA VICTIME...
C'EST ÇA.
HMMM...

TU TE SOUVIENS DE LA CHANSON QUE JE T'AVAIS COMPOSÉE?
OUI...
"À SES YEUX BOUFFIS, ON DEVINE QUE LA TRISTESSE DÉVORE KARINE"...
ZLING!
chansons personnalisées

...Pour protéger son cœur trop pur, elle doit modifier sa nature

Qui l'incite à tendre l'aut' joue après avoir reçu des coups.

Allez Karine, c'est pas un crime...
de refuser d'être une victime.
ZLING.

...
TU AS RAISON.

T'AS PAS FAIT LES COURSES QUE JE T'AI DEMANDÉES?
NON. TU LES FERAS TOI-MÊME. J'AI FINI D'ÊTRE UNE VICTIME!

J'AI PAS TENDU L'AUTRE JOUE, C'EST DÉJÀ UN PROGRÈS.

Delaf - Dubuc

ELLE POSAIT DES AFFICHES POUR FAIRE CONNAÎTRE SA NOUVELLE CAUSE LORSQU'ELLE COMMENÇA À S'INTÉRESSER À DAN...

ATTENDS, JE VAIS T'AIDER...
COMME C'EST GENTIL !
SAUVONS LES CRAPAUDS DES STEPPES !
SAUVONS LES CRAPAUDS DES STEPPES !

ELLE COMPRIT RAPIDEMENT QUE POUR SÉDUIRE DAN, IL LUI FALLAIT D'ABORD CHARMER KARINE, SA PETITE AMIE.

ÇA TE PLAIRAIT QU'ON AILLE EN AFRIQUE ENSEMBLE ?
OH OUI !

COMME PRÉVU, KARINE TOMBA DANS LE PANNEAU ET DAN SOUS LE CHARME DE MÉLANIE.

EH BEN PAS MOI !
MOI JE PEUX Y ALLER, MOI ???
PANNEAU
TCHAK !

C'EST AINSI QU'ELLE ET DAN PARTIRENT EN VOYAGE HUMANITAIRE. L'EXPÉRIENCE L'ENCHANTA, MALGRÉ LES TÂCHES PARFOIS ÉREINTANTES.

À SON RETOUR, ELLE ÉTAIT DEVENUE LA STAR DE L'ÉCOLE. TOUS LES YEUX ÉTAIENT TOURNÉS VERS ELLE. Y COMPRIS CEUX DES PLUS BEAUX MÂLES...

POUR L'EXPO AFRIQUE AU CAFÉ DE LA PAIX, QU... IRAIS-TU DE PROJET... LA VIDÉO DES ÉLÉPH... APRÈS L'INTRO SUR... PARFAIT POUR INTÉGRE... CUPERA DE LA TECH...

SALUT, LES GARS !

SALUT, MÉL !

ÇA VA, MÉL ?

T'ES EN BEAUTÉ, MÉL !

ELLE AURAIT PU AVOIR N'IMPORTE LEQUEL D'ENTRE EUX, SAUF QU'ELLE AVAIT DÉJÀ DAN. SON FIDÈLE COMPAGNON QUI LA SUIVAIT PARTOUT OÙ ELLE ALLAIT...

ON S'APPELLE, MÉL ?

T'ES SUPER, MÉL !

C'EST QUAND TU VEUX, MÉL !

WOUAH, WOUAH, WOUAH, WOUAH, WOUAH, WOUAH, WOUAH, WOUAH, WOUAH, WOUAH...

ELLE VOULAIT S'EN DÉBARRASSER, MAIS REFUSAIT DE PORTER LA FAUTE DE L'ÉCHEC DE LEUR RELATION.

VA CHERCHER LA BABALLE !
LÀ-BAS !
TRÈS LOIN...
VA !

C'EST ALORS QU'ELLE EUT L'IDÉE D'INVENTER UNE HISTOIRE QUI REJETAIT LE BLÂME SUR KARINE ET DAN.

IL AURAIT RÉVU KARINE !
QUOI ?!
APRÈS TOUT CE QU'ELLE A FAIT À MÉLANIE ?
QUEL SALAUD !
ILS AURAIENT MÊME COUCH...
KARINE M'A TOUT RACONTÉ, C'EST FINI, DAN !
KAÏ KAÏ KAÏ KAÏ !

CELA LUI VALUT QUELQUES REMORDS, MAIS ELLE AVAIT L'HABITUDE ET SAVAIT COMMENT SE SOIGNER. JUSTEMENT, ELLE POSAIT DES AFFICHES POUR FAIRE CONNAÎTRE SA NOUVELLE CAUSE LORSQU'ELLE COMMENÇA À S'INTÉRESSER À FRED...

ATTENDS, JE VAIS T'AIDER...

COMME C'EST GENTIL !

SAUVONS LES CHIENS ABANDONNÉS

Delaf - Dubuc

COUCOU, FREDOUNET ! ÇA VA, TU M'EN VEUX PAS TROP POUR LE BUS DANS TA TRONCHE ?
BAH, PLUS DE PEUR QUE DE MAL.

ALORS, QU'EST-CE QU'ON FAIT CE SOIR ?
TOI, JE SAIS PAS, MAIS MOI JE VAIS AU CAFÉ DE LA PAIX POUR L'EXPO AFRIQUE. J'ACCOMPAGNE MÉLANIE.

MÉLANIE ?

MAIS OUI, JE T'EN AVAIS PARLÉ... C'EST MÊME TOI QUI M'AS DIT QUE J'AVAIS MES CHANCES AVEC LA DEUXIÈME PLUS BELLE... T'AVAIS RAISON : ELLE M'A PAS DIT NON ! MERCI POUR LE CONSEIL, NIKKY !

DEVINE POUR QUI TON CRÉTIN DE FRED T'A LAISSÉE TOMBER...
?

MÉLANIE ?!

CETTE GARCE BRISE LE COEUR D'UNE DE MES AMIES ET ACCUSE L'AUTRE D'AVOIR ESSAYÉ DE LA TUER AVEC DES ARACHIDES DE PROVENANCE TOTALEMENT INCONNUE ! JE NE LE SUPPORTERAI PAS. CE SOIR, ELLE VA PAYER !

CE SOIR ?

OUI MA CHÈRE ! C'EST CE SOIR QUE LES FLICS APPRENDRONT QU'ELLE T'A FAUSSEMENT INCRIMINÉE. ALORS ILS VIENDRONT L'ARRÊTER DIRECTEMENT AU MILIEU DE SES FANS, AU CAFÉ DE LA PAIX !

QUOI ?... MAIS, COMMENT ?
Souvenirs d'Afrique
expo photos / vidéo

VOILÀ LE PLAN : ON DÉBARQUE TOUTES LES TROIS À SON EXPO, ON LA COINCE DANS UN COIN SOMBRE... ET ON LUI TAPE SUR LA GUEULE JUSQU'À CE QU'ELLE ACCEPTE D'APPELER AU COMMISSARIAT POUR SE DÉNONCER !
BONNE IDÉE ! J'ADORE LES PLANS QUI DÉFIGURENT MÉLANIE !
!
PAF ! PAF ! PAF !

CE PLAN EST DÉBILE !... ET PUIS VOUS AVEZ OUBLIÉ ? J'AI INTERDICTION DE ME TROUVER À MOINS DE 200 MÈTRES DE MÉLANIE !
C'EST ÇA ! TU PRÉFÈRES OBÉIR À DEUX BEAUX POLICIERS PLUTÔT QUE D'AIDER TES AMIES !

J'AI PEUT-ÊTRE QUELQUE CHOSE QUI TE FERA CHANGER D'AVIS...

ON A CROISÉ CETTE GARCE CE MATIN ET ELLE NOUS A DEMANDÉ DE TE RENDRE CECI...

155

J'EN REVIENS PAS QU'ELLES CONTINUENT À SE FAIRE DES CADEAUX, TOUTES LES DEUX... JE CROYAIS QU'ELLES SE DÉTESTAIENT...

Allez, Karine, c'est pas un crime, de refuser d'être une victime.

MES PARENTS VONT M'ARRACHER LA TÊTE !
BAH, AVEC LA GUEULE QUE T'AS, C'EST LA MEILLEURE CHOSE QUI PUISSE T'ARRIVER !

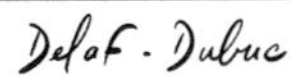

Delaf - Dubuc

SUPERBE EXPO !
LA VIDÉO, ÇA EN JETTE !
CETTE FILLE EST FORMIDABLE !
?

TIENS, LES FILLES ! VOUS ÊTES VENUES... AVEC UN AMI ?
C'EST LE FRÈRE DE MON COUSIN... L'AFRIQUE LE PASSIONNE.
OUI, LA FAMINE, LE SIDA, LA MALARIA, IL ADORE !
J'VAIS FAIRE PIPI.

ALLEZ, C'EST TON JOUR DE GLOIRE, RETOURNE À TES FANS, T'OCCUPE PAS DE NOUS !
...
HA ! HA ! QUELLE NULLE ! ELLE SE DOUTE DE RIEN !
C'EST LE MOMENT, ALLONS REJOINDRE KARINE !

HA ! HA ! OUACH !

Y A PERSONNE, ON PEUT PARLER !
BON, RÉCAPITULONS : MOI ET JENNY, ON SE DÉBROUILLE POUR ATTIRER MÉLANIE DANS LA COUR ARRIÈRE. ENSUITE, ON SE MET À TROIS ET ON TAPE DESSUS JUSQU'À CE QU'ELLE...
NON, JE VOUS L'AI DIT ! JE VOUS AIDE À UNE CONDITION : ON LE FAIT À MA MANIÈRE.

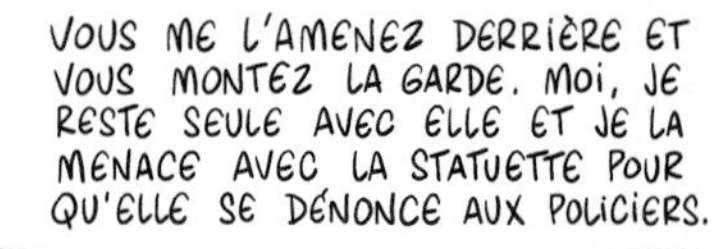
VOUS ME L'AMENEZ DERRIÈRE ET VOUS MONTEZ LA GARDE. MOI, JE RESTE SEULE AVEC ELLE ET JE LA MENACE AVEC LA STATUETTE POUR QU'ELLE SE DÉNONCE AUX POLICIERS.

ET APRÈS, TU LUI TAPES TRÈS FORT SUR LA GUEULE !

MAIS NON, JENNY ! J'AI PAS L'INTENTION DE LA FRAPPER. L'IMPORTANT, C'EST DE LUI FAIRE TRÈS PEUR...

156

ET SI ELLE TE REGARDE ET SE MET À RIGOLER ?
T'INQUIÈTE, AVEC TOUT CE QU'ELLE M'A FAIT SUBIR, JE SENS QUE JE PEUX DEVENIR TRÈS MENAÇANTE !
TAP !

C'EST UN SUPER PLAN. JE VOIS VRAIMENT PAS CE QUI POURRAIT LE FAIRE FOIRER !

JE CROIS SAVOIR OÙ ELLE EST...
Souvenirs d'Afrique

UN BÉBÉ PHOQUE ? ICI ?!

CLAC!
EH!

SALUT, MÉLANIE.

KARINE ?! QU'EST-CE QUE TU FAIS LÀ ? TU SAIS BIEN QUE TU N'AS PAS LE DROIT DE T'APPROCHER DE MOI !
ET POURQUOI DÉJÀ ?... AH OUI ! PARCE QUE TU M'AS FAIT FAUSSEMENT ACCUSER DE TENTATIVE DE MEURTRE !

ÉCOUTE, KARINE, C'EST UN MALENTENDU ! JE SAIS QU'AU FOND, TU NE ME VEUX AUCUN MAL...

SI J'ÉTAIS TOI, JE NE ME FIERAIS PAS TROP LÀ-DESSUS.

JE COMPRENDS PAS CE QUI NOUS EST ARRIVÉ, ON ÉTAIT COPINES, TOUTES LES DEUX...

NE M'OBLIGE PAS À ME RAPPELER TOUTES LES VACHERIES QUE TU M'AS FAIT SUBIR.

TU N'IRAIS QUAND MÊME PAS JUSQU'À ME FRAPPER !

C'EST TOI QUI DÉCIDES. TU PRENDS CE TÉLÉPHONE ET TU APPELLES L'INSPECTEUR LABROSSE POUR RÉTABLIR LA VÉRITÉ, SINON...
ARRÊTE, JE T'EN SUPPLIE ! PUISQUE JE TE DIS QUE JE N'AI RIEN FAIT !

TANT PIS, TU L'AURAS VOULU !
O.K. ! O.K. !
TU AS GAGNÉ, J'APPELLE...

J'AI DÉJÀ COMPOSÉ, LÀ. ARRÊTE DE ME FIXER COMME ÇA.
INSPECTEUR LABROSSE.
BONSOIR, INSPECTEUR, C'EST MÉLANIE... J'AI QUELQUE CHOSE À VOUS DIRE AU SUJET DE KARINE...

... JE SUIS AU CAFÉ DE LA PAIX ET ELLE EST JUSTE EN FACE DE MOI. ELLE MENACE DE ME FRAPPER, DÉPÊCHEZ-VOUS !
!

QUI C'EST QUI VA ÊTRE MIGNONNE AVEC DES MENOTTES ?

TU AS VRAIMENT CRU QUE J'AVAIS PEUR ?
ALORS C'EST QUE JE SUIS MEILLEURE ACTRICE QUE TOI !
QUOI ?

EH OUI, JE SAVAIS QUE TU ME JOUAIS LA COMÉDIE. JE VOUS AI SUIVIES AUX TOILETTES ET J'AI ENTENDU VOTRE MINABLE PETIT PLAN...
...J'AI PAS L'INTENTION DE LA FRAPPER...
AMATEURES !

HA ! HA ! PAUVRE KARINE, TU DEVRAIS VOIR TA TÊTE. PRESQUE AUSSI DRÔLE QUE TOUT À L'HEURE, AVEC TON STUPIDE DÉGUISEMENT !
TU M'AVAIS RECONNUE ?
T'AURAIS VOULU FAIRE PLUS LOUCHE, T'AURAIS PAS RÉUSSI !

TU PEUX RESTER ICI, SI TU VEUX... JE T'AMÈNE L'INSPECTEUR DÈS QU'IL ARRIVE !
MÉLANIE, NON !... ME FAIS PAS ÇA, JE T'EN SUPPLIE...

S'IL TE PLAÎT, RAPPELLE L'INSPECTEUR, DIS-LUI QUE CES CHOCOLATS NE VENAIENT PAS DE MOI ! S'IL TE PLAÎT !
PRFF !...

ET ME RETROUVER DANS LES EMMERDES POUR AVOIR FAIT DE FAUSSES ACCUSATIONS ?
MMM... C'EST TENTANT, MAIS... NON !

TU ME FAIS PASSER POUR UNE CRIMINELLE ! COMMENT RÉUSSIS-TU À DORMIR APRÈS ÇA ?
C'EST SIMPLE : EN SACHANT QUE TU NE POURRAS JAMAIS RIEN PROUVER !

J'EN REVIENS PAS... TU N'AS ABSOLUMENT RIEN DE LA FILLE QUE TU PRÉTENDS ÊTRE !
JE SUIS LA FILLE QU'IL FAUT ÊTRE POUR QUE LES GENS M'ADMIRENT. ÇA VAUT LE COUP DE BOUFFER DU TOFU ET DE MILITER POUR DES CAUSES DÉBILES !

TON PLAN ÉTAIT PATHÉTIQUE, MAIS AU MOINS T'AURAS ESSAYÉ !... C'EST JUSTE QUE TOI ET MOI, ON JOUE PAS DANS LA MÊME LIGUE !
158

QU'EST-CE QU'ELLE FOUT ? C'EST LONG !
J'ESPÈRE QU'ELLES SE SONT PAS ENTRETUÉES... CE SERAIT TERRIBLE ! IL FAUDRAIT SE TROUVER UN AUTRE FAIRE-VALOIR !

JE VAIS JETER UN OEIL POUR VOIR SI TOUT VA B...
OUI, TRÈS BIEN ! MÊME QUE LES FLICS SONT DÉJÀ EN ROUTE ! SAUF QUE C'EST PAS POUR MOI...
!

BRAVO ! TU AS FAIT FOIRER NOTRE SUPER PLAN !

AH, MÉL, ON TE CHERCHAIT POUR TE DIRE AU REVOIR...
SI J'ÉTAIS VOUS, JE RESTERAIS ENCORE UN PEU. JE SENS QU'IL VA Y AVOIR UN BON SPECTACLE...

KARINE ? TU OSES VENIR ICI APRÈS TOUT CE QUE TU AS FAIT ?

ÇA TE SUFFISAIT PAS D'ESSAYER DE TUER MÉLANIE ? 'FALLAIT AUSSI QUE TU INVENTES UN MENSONGE POUR NOUS SÉPARER !
QUEL MENSONGE ?
ARRÊTE ! JE SAIS QUE TU LUI AS DIT QU'ON S'ÉTAIT REVUS !
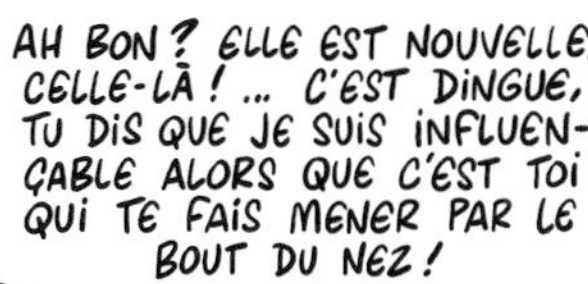
AH BON ? ELLE EST NOUVELLE, CELLE-LÀ ! ... C'EST DINGUE, TU DIS QUE JE SUIS INFLUENÇABLE ALORS QUE C'EST TOI QUI TE FAIS MENER PAR LE BOUT DU NEZ !

J'EN AI ASSEZ ENTENDU !
DAN, ATTENDS ! C'EST PAS POSSIBLE, TU VAS PAS TE LAISSER BERNER JUSQU'AU BOUT !

TU CONTINUES À CROIRE AVEUGLÉMENT MÉLANIE, ALORS QU'ELLE VIENT DE TE JETER COMME UNE VIEILLE CHAUSSETTE ! ... DIS-MOI QU'AU FOND DE TOI, TU AS ENCORE UN PEU CONFIANCE EN MOI ...

JE ...
JE SAIS PLUS ...
IL FAUT QUE JE RÉFLÉCHISSE.

KARINE !

QU'EST-CE QUE TU FAIS ICI ?!
TU ES FOLLE ! TU VAS FINIR PAR L'AVOIR, TON CASIER JUDICIAIRE !
AÏEUH !

VIENS VITE AVANT QUE QUELQU'UN NE PRÉVIENNE LES ...
C'EST ELLE.

MADEMOISELLE, VOUS ÊTES EN ÉTAT D'ARRESTA
- S'IL TE PLAÎT, RAPPELLE L'INSPECTEUR ET DIS-LUI QUE LES CHOCOLATS NE VENAIENT PAS DE MOI ! S'IL TE PLAÎT !

- ET ME RETROUVER DANS LES EMMERDES POUR AVOIR FAIT DE FAUSSES ACCUSATIONS ? MMM... C'EST TENTANT, MAIS... NON !

- TU ME FAIS PASSER POUR UNE CRIMINELLE ! COMMENT RÉUSSIS-TU À DORMIR APRÈS ÇA ?
- C'EST SIMPLE : EN SACHANT QUE TU NE POURRAS JAMAIS RIEN PROUVER !

ALORS, TU M'ACCEPTES DANS TA LIGUE, MAINTENANT ?

-TU N'AS ABSOLUMENT RIEN DE LA FILLE QUE TU PRÉTENDS ÊTRE !
STOP ! ARRÊTEZ ÇA !
VIENS LE FAIRE TOI-MÊME !
TU PEUX LA FAIRE PASSER EN BOUCLE ?
GH !
CRAAAAAC !

-JE SUIS LA FILLE QU'IL FAUT ÊTRE POUR QUE LES GENS M'ADMIRENT. ÇA VAUT LE COUP DE BOUFFER DU TOFU ET DE MILITER POUR DES CAUSES DÉBILES !
C'EST PAS DU TOUT CE QUE VOUS CROYEZ !...
JE...
... J'ADORE LE TOFU !

VOUS AVEZ ACCUSÉ NOTRE FILLE SANS PREUVES !
C'EST INEXCUSABLE !
VOUS FAITES ERREUR ! VOUS VOUS FIEZ À UNE CITATION HORS CONTEXTE !
ON VERRA ÇA AU POSTE.

COMMENT C'EST POSSIBLE ?
CE DÉGUISEMENT QUE TU TROUVAIS SI RIDICULE... IL M'A SERVI À T'ATTIRER JUSQU'AUX TOILETTES. JE VOULAIS QUE TU ENTENDES NOTRE PLAN, POUR ENSUITE TE DONNER L'IMPRESSION DE GAGNER.

TU ÉTAIS TELLEMENT HEUREUSE DE ME PROUVER TA SUPÉRIORITÉ QUE TA TÊTE S'EST GONFLÉE COMME UNE MONTGOLFIÈRE... ET JE T'AI FAIT DIRE CE QUE JE VOULAIS !
record
OSCAR DE LA MEILLEURE ACTRICE.

SUIVEZ-NOUS, MAINTENANT...
C'EST INJUSTE ! JE SUIS UNE VICTIME ! ...
ÉTANT DONNÉ LE RÉSULTAT FINAL, ON VEUT BIEN TE PARDONNER D'AVOIR FAIT FOIRER NOTRE PLAN...
JE PROPOSE QU'ON AILLE FÊTER ÇA DANS UN ENDROIT OÙ ILS SERVENT DES TRUCS NI ÉCOLOS, NI ÉQUITABLES !
MERCI, LES FILLES, MAIS J'AI ENVIE D'ÊTRE SEULE.
POLICE

ON TE RAMÈNE À LA MAISON, MA CHOUETTE ?
NON, ÇA VA, JE PRÉFÈRE MARCHER.

KARINE, ATTENDS !

160

JE SAIS PAS QUOI DIRE... J'AI ÉTÉ STUPIDE ET AVEUGLE, JE N'AI AUCUNE EXCUSE.
JE M'EN VEUX TELLEMENT !

CROIS-TU QU'UN JOUR TU POURRAS ME PARDONNER ?

JE SAIS PAS, DAN.
IL FAUT QUE JE RÉFLÉCHISSE.

Jenny ! Vicky ! Attendez-nous !
Depuis que Mélanie a été renvoyée de l'école, notre vie est un enfer !
J'avais oublié à quel point c'est dur d'être trop belle !

Dégagez, bande d'obsédés !
CLAC !
¡¡¡¡

Je ferais n'importe quoi pour vous !
Ma vie pour un baiser !
CLAP !

Karine ?
!
Heu... Ok, parfait. On se voit ce soir !

Tu te caches pour téléphoner ? Me dis pas que tu revois Dan !?
C'est pas ce que vous croyez...
Menteuse ! Ce traître te baragouine quelques excuses et paf ! Tu lui retombes dans les bras !

Rappelle Dan et annule tout. Exception-nellement, on te permet de venir au skatepark avec nous.
Oui ! On va déconcentrer les garçons et les faire tomber ! J'adore !
Tap ! Tap ! Tap !
Non.

Quoi ? Mais... comment tu nous parles ?!
Je vous parle comme vous me parlez, et je choisis moi-même ce que je fais de ma soirée. Et si je veux revoir Dan, c'est MOI qui décide !

Pff ! Elle développe une vilaine tendance à l'égocentrisme !
A-hem !
Jenny, il faut que je te parle...

Tes nich... Tes NEURONES me manquent terrible-ment ! Tu veux bien me donner une seconde chance ?
Et si ça peut intéresser quelqu'un, je suis toujours célibataire...

C'est quoi, des neurones ?
C'est des trucs cochons ! Viens, Jenny, on n'est pas intéressées !

Vicky, 'faut que je t'avoue... À un moment, j'ai cru que tu en pinçais pour Fred et que tu voulais me le piquer.
Allons ! Il y a 3,5 milliards d'hommes sur terre, pourquoi on se battrait pour le même ?
Pouêt

T'as raison, c'est débile...
PSHHHH
♫ Pilou - Pilou ♫

Ha ! Ha ! Qui c'est qui va passer une semaine avec Chris Daryl et ses abdos ?
♪ Pilou-Pilou ♪

Hugo est à moi !
Non, c'est moi qu'il embête depuis des semaines !
C'est moi la plus jolie, c'est moi qui décide !
Idiote !
Grosses fesses !
Fais pas cette tête, je te laisse la perdante !
...Sauf si c'est Jenny !

JENNY ET VICKY M'ONT SURPRISE AU TÉLÉPHONE AVEC LUI. JE N'AI PAS VOULU LEUR DIRE LA VÉRITÉ.

JE L'AI REVU, À QUELQUES REPRISES. MAIS CE N'EST PAS LEURS AFFAIRES !

CES DERNIERS TEMPS, J'AI FAIT TOUT UN TAS DE TRUCS QUE JE N'AVAIS JAMAIS FAITS... J'AI MENTI. J'AI MANIPULÉ POUR ARRIVER À MES FINS. JE ME SUIS VENGÉE.
OÙ TU VAS, MA CHOUETTE?

J'AI MÊME CHANGÉ DE COIFFURE ET DE LOOK SANS DEMANDER L'AVIS DE JENNY ET VICKY ! JE SAIS QU'ELLES VONT DÉSAPPROUVER, MAIS C'EST FINI DE VIVRE POUR LES AUTRES.
JE SORS.
RENTRE PAS TROP TARD, HEIN ?

FINI D'ÊTRE UNE TORTUE SANS CARAPACE, VULNÉRABLE À TOUTES LES ATTAQUES.
Profitez de la vie!

LES RÉCENTS ÉVÉNEMENTS M'ONT MISE EN CONTACT AVEC UNE PARTIE DE MOI QUE JE NE CONNAISSAIS PAS.

UNE PARTIE SOMBRE DE MOI-MÊME QUE J'AURAIS PRÉFÉRÉ NE PAS CONNAÎTRE.

HEUREUSEMENT QU'IL EST LÀ. IL M'AIDE À PASSER À TRAVERS TOUT ÇA.
HA! HA! WAOW! T'ES DIFFÉRENTE !

ÇA TE PLAÎT ?

ET COMMENT!

ÇA AUSSI, JENNY ET VICKY VONT DÉSAPPROUVER. MAIS ELLES N'Y PEUVENT RIEN...

... CAR JE SUIS AMOUREUSE...

Delaf-Dubuc 2009

LIZON
ET TOUTE MA
COLLEC' DE
SPIROU CONTRE
TA CAPSULE...

PILOU-PILOU ♪